VERBS

Compiled by
LEXUS

with
Andrew Wilkin
Senior Lecturer in Italian Studies
University of Strathclyde

HARRAP

First published in Great Britain 1990
by Chambers Harrap Publishers Ltd
7 Hopetoun Crescent, Edinburgh EH7 4AY

© Chambers Harrap Publishers Ltd 1990

ISBN 0245 60645 9

Reprinted 1991, 1992, 1993, 1994, 1996, 1998,
1999, 2000, 2001, 2002

Printed in Great Britain by Clays Ltd, St Ives plc

CONTENTS

A GLOSSARY OF GRAMMATICAL TERMS   iv

INTRODUCTION   viii
    TYPES OF VERB   viii
    USE OF TENSES AND MOODS   viii
    AGREEMENT OF THE PAST
      PARTICIPLE   xviii

VERB TABLES   xxi

INDEX   *following verb 211*

A GLOSSARY OF GRAMMATICAL TERMS

ACTIVE
The active form of a verb is the basic form as in *I remember him* as opposed to the passive form of the verb as in *he is remembered*.

AUXILIARY
Auxiliary verbs are used to form compound tenses of other verbs, eg *have* in *I have seen* or *had* in *he had gone*. The main auxiliary verbs in Italian are *avere* and *essere*.

COMPOUND
Compound tenses are verb tenses consisting of more than one element. In Italian, the compound tenses of a verb are formed by an **auxiliary** verb and the **past participle** of the verb in question: *ho acceso, mi sono alzato, sono andato.*

CONDITIONAL
This mood is used to describe what someone would do, or something that would happen if a condition were fulfilled (eg *I would come if I had the money; the chair would have broken if he had sat on it*). The conditional is commonly used in Italian with verbs of wishing/preference, and to quote what a third party has said (eg *vorrei andare in Italia; secondo i giornali il re sarebbe morto*).

CONJUGATION
The conjugation of a verb is the set of different forms taken in the various tenses and moods of that verb.

ENDING
The ending of a verb is determined by the **person** (1st, 2nd, 3rd) and **number** (singular/plural) of its subject.

GERUND	In Italian, the gerund of a verb is invariable and corresponds to the verb form which ends in *-ing* in English (*-ando* or *-endo* in Italian).
IMPERATIVE	This verb mood is used for giving orders (eg *stop!, go!*) or for making suggestions (eg *let's go*).
INDICATIVE	The normal mood of a verb as in *I like, he came, we are trying* as opposed to the subjunctive, conditional and imperative moods.
INFINITIVE	The infinitive is the form of the verb as found in dictionaries. Thus *to eat, to finish, to take* are infinitives. In Italian, the vast majority of infinitives end in *-are, -ere* or *-ire*.
MOOD	The name given to the four main areas within which a verb is conjugated. See: INDICATIVE, SUBJUNCTIVE, CONDITIONAL, IMPERATIVE.
NUMBER	The number of a noun indicates whether it is singular or plural.
PASSATO PROSSIMO	This name has been used throughout this text for the compound past tense known in English as the **perfect tense** (eg *I have eaten*).
PASSATO REMOTO	This name has been used throughout this text for the simple past tense known in English as the **past definite tense** (eg *I ate*).
PASSIVE	A verb is used in the passive when the subject of the verb does not perform the action but is subjected to it. In English, the passive is formed with a part of the verb *to be* and the **past participle** of the verb in question (eg *he was remembered*).

PAST PARTICIPLE The past participle of a verb is the form which is used after *to have* in English in the formation of compound tenses, (eg *I have* **eaten**, *he has* **said**, *you have* **tried**).

PERSON In each verb tense there are three persons in the singular (1st: I ..., 2nd: you ..., 3rd: he/she ...), and three in the plural (1st: we ..., 2nd: you ..., 3rd: they ...). Note that in Italian the 3rd person forms are also used with the pronouns *Lei/lei* and *Loro/loro* (which are, respectively, the polite singular and plural forms of 'you').

PRESENT PARTICIPLE The present participle (eg **parlante** *speaking*, **credente** *believing*, **udente** *hearing*) in Italian has almost exclusively an adjectival function. If used with a verbal function (eg *questa è una congiunzione* **reggente** *due proposizioni, this is a conjunction* **governing** *two clauses*) the present participle agrees in number only (*due congiunzioni* **reggenti**...).

REFLEXIVE Reflexive verbs 'reflect' the action of the verb back onto the subject (eg *I dress myself*). In Italian, they are always used with a reflexive pronoun, they always take *essere* as their auxiliary verb in compound tenses, and their past participle always agrees in number and gender with the subject.

STEM See VERB STEM.

SUBJUNCTIVE Whilst the subjunctive is a verb mood which is relatively rarely used in English (eg *if I were you*), it is commonly used in subordinate clauses in Italian after certain conjunctions and infinitives.

SUBORDINATE CLAUSE   A group of words with a subject and a verb which is dependent on another clause. For example, in *he said he would come*, *he would come* is the subordinate clause dependent on *he said*.

TENSE   Verbs are used in tenses which indicate the time at which an action takes place, eg in the present, in the past, in the future.

VERB STEM   The stem of a verb is its 'basic unit' to which the various endings are added to form the tenses and moods. To find the stem of the vast majority of Italian verbs, remove the *-are, -ere* or *-ire* from the infinitive. For example, the stem of *parlare* is *parl*, the stem of *cadere* is *cad*, and the stem of *finire* is *fin*.

VOICE   The two voices of a verb are its active and passive forms.

INTRODUCTION

A. TYPES OF VERB

There are three main conjugations for Italian verbs. In the vast majority of cases the ending of the infinitive indicates the conjugation.

Virtually all verbs ending in **-are** belong to the first conjugation, eg **parlare**;
virtually all verbs ending in **-ere** belong to the second conjugation which contains two main sub-types dependent on stress position, eg **credere**, **vedere**;
virtually all verbs ending in **-ire** belong to the third conjugation which contains two main sub-types dependent on present tense endings, eg **sentire**, **finire**.

All regular verbs follow the pattern of one of these conjugations.

Models for these and for a considerable number of irregular verbs are given in the verb tables of this book. The reader will note that a large number of verbs ending in **-ere** are irregular.

B. USE OF TENSES AND MOODS

Verb tenses and moods are formed by adding various endings to the stem of the verb (i.e. the infinitive minus the ending **-are**, **-ere** or **-ire**).

1. The *PRESENT TENSE* is used:

i) to express present states:

sto bene
I am well

ii) to express general or universal truths:

la vita è dura
life is hard

iii) to express the immediate future:

torno subito
I'll be right back

iv)   to express the English present progressive:

scrivo una lettera
I am writing a letter

v)   to express a fact, situation or circumstance taking place at the moment of speaking:

il telefono squilla
the telephone is ringing

oggi è una bella giornata
it is a beautiful day today

vi)   to express habitual, regularly repeated actions or events:

il treno per Milano parte ogni mattina alle nove
the train for Milan leaves every morning at nine o'clock

d'estate andiamo al mare
in the summer we go to the seaside

vii)   the present tense is commonly used in proverbs to convey their universal value:

chi dorme non piglia pesci
the early bird catches the worm

viii)   to indicate constant facts which occur naturally:

il sole sorge nell'Oriente
the sun rises in the east

The *PRESENT PROGRESSIVE* in Italian is formed with the present tense of **stare** plus the gerund of the verb in question (eg **cosa stai facendo?** what are you doing? **sto leggendo il giornale** I am reading the newspaper). It is used:

i)   when an activity is actually taking place:

sta leggendo una lettera
he/she is reading a letter

ii)   for an activity begun in the past and continuing into the present even if it is not happening at the moment of speaking:

sto scrivendo un libro
I am writing a book

iii)   to emphasize continuing action:

stanno ancora parlando
they are still talking

2. The **_IMPERFECT TENSE_** is used:

   i)   to express something that was going on in the past:

   facevano molto rumore
   they were making a lot of noise

   ii) to refer to something that continued over a period of time in the past, as opposed to something that happened at a specific point in the past:

   guardavamo la televisione, quando nostro zio arrivò
   we were watching television, when our uncle arrived

   iii) to describe an habitual action that used to take place in the past:

   quando ero giovane andavo spesso a Torino
   when I was young I often went to Turin

   iv) to describe or set the background of a story or historical narrative:

   il sole brillava
   the sun was shining

   le truppe italiane combattevano nell'Africa centrale
   the Italian troops fought in central Africa

The **_IMPERFECT PROGRESSIVE_** is formed with the imperfect of **stare** plus the gerund of the verb in question:

   stavo leggendo un romanzo
   I was reading a novel

3. The **_PASSATO PROSSIMO_** is used to express a completed action in the recent past, or a completed action in the past (even the distant past) which relates to the present:

   ieri sono andato/a a Bologna
   yesterday I went to Bologna

   Maria si è traslocata da Firenze a Pisa trent'anni fa
   Maria moved from Florence to Pisa thirty years ago
   (understood: and she still resides in Pisa now)

4. The **_PASSATO REMOTO_** is used to express a completed action in the past which does not relate to the present:

   Dante morì a Ravenna nel 1321
   Dante died in Ravenna in 1321

molte persone morirono di peste nel Seicento
many people died of the plague in the seventeenth century

5. The *PLUPERFECT TENSE* is used:

i) to express what someone had done or had been doing, or something that had happened or had been happening in the past, particularly in reported speech:

il mio amico aveva telefonato mentre ero fuori
my friend had telephoned while I was out

ii) to express a past action completed before another past action:

era appena tornato, quando qualcuno bussò alla porta
he had only just returned, when someone knocked at the door

6. The *FUTURE TENSE* is used:

i) to express future actions or happenings:

l'anno prossimo andrò in Italia
next year I will go to Italy

ii) to express probability, likelihood or approximation:

quanto pesa questa scatola? - peserà circa due chili
how much does this box weigh? - it probably weighs about two kilos

che ore sono? - saranno le undici
what's the time? - it'll be (about) eleven o'clock

iii) to express a questioning doubt:

dove mai sarà Enrico?
where on earth can Enrico be?

iv) to express a concession:

avranno anche ragione
they may well be right

v) to express certain exclamations:

non ci crederai!
you won't believe it!

7. The *FUTURE PERFECT TENSE* is used:

i)   to indicate that an action in the future will be completed by the time a second future action applies:

quando avrò finito questo lavoro, andrò a letto
when I have finished this work, I will go to bed

l'avrà finito entro la settimana prossima
he'll/she'll have finished it by next week

ii)   to express a supposition about the present:

l'avrà dimenticato
he/she will have forgotten it

iii)   to express probability, likelihood or approximation referring to the past:

a quel tempo mia madre avrà avuto cinquant'anni
at that time my mother will/would have been about fifty

iv)   to express a questioning doubt referring to a past action:

dove mai sarà andato Enrico?
where on earth has Enrico gone?

8.   The *PAST ANTERIOR TENSE* in modern Italian is only used in written language (most commonly in literary Italian). It is used in subordinate clauses introduced by a conjunction of time, when the verb of the main clause is in the *passato remoto* tense:

quando ebbe finito di mangiare, andò a letto
when he/she had finished eating, he/she went to bed

9.   The *PRESENT CONDITIONAL* is used:

i)   to express a wish or desire:

vorrei mangiare una pizza
I would like to eat a pizza

ii)   to express doubt concerning a possible action:

che cosa dovrei fare adesso?
what should I do now?

iii)   to express an action, situation or occurrence which is possible on certain conditions:

se avessi i soldi, andrei volentieri in America
if I had the money, I would gladly go to America

iv)   to express a sense of surprise or disbelief:

Silvia non farebbe mai una cosa simile!
Silvia would never do such a thing!

v) to express discreetly a personal opinion:

a mio parere, sarebbe una buona idea studiare questi verbi
in my opinion, it would be a good idea to study these verbs

10. The *PAST CONDITIONAL* is used:

i) to express a wish or desire referring to the past:

avrei voluto mangiare una pizza
I would have liked to eat a pizza

ii) to express doubt concerning a past action:

che cosa avrei dovuto fare allora?
what should I have done then?

iii) to express a past action, situation or occurrence which would
have been possible on certain conditions:

se avessi avuto i soldi, sarei andato volentieri in Sicilia
if I had had the money, I would gladly have gone to Sicily

iv) to express a sense of surprise or disbelief about a past action:

Giuseppe non avrebbe mai fatto una cosa simile!
Giuseppe would never have done such a thing!

v) to express discreetly a personal opinion about a past action:

a mio parere, sarebbe stata una buona idea studiare questo libro
in my opinion, it would have been a good idea to study/have
studied this book

11. The *IMPERATIVE*, which exists only in the present, is used to give
orders, instructions, make firm suggestions and polite but firm
requests, or (in the negative) to prohibit a course of action. It should
be noted that the 3rd person singular and plural imperatives, which
are based on present subjunctive forms, relate to the polite forms
Lei/lei and *Loro/loro* respectively.

vieni qua!
come here!

stia attento!
be careful!

andiamo!
let's go!

girate a sinistra
turn left

vengano pure avanti
please do come forward

non fate tanto rumore!
don't make so much noise!

The negative imperative of the second person singular is formed by placing **non** before the *infinitive* of the verb in question:

non andare oggi, va' domani
don't go today, go tomorrow

12. The *SUBJUNCTIVE* is principally used to express actions that are uncertain, doubtful, desirable, hoped for, feared, probable (but without guarantee), or hypothetical. It will most often be found in subordinate clauses introduced by a conjunction (this is why the subjunctive is called *congiuntivo* in Italian), but also has certain applications in main clauses. The subjunctive is much more widely used in Italian than in most other Romance languages.

i) in subordinate clauses of purpose:

ho chiamato Giovanni perché mi aiutasse
I called for Giovanni to help me

ii) in subordinate consecutive clauses:

devi parlare piano in modo che tutti possiamo capirti
you must speak slowly so that we can all understand you

iii) in subordinate temporal clauses introduced by **prima che**:

prima che torni tua sorella devi lavare i piatti
before your sister returns you must wash the dishes

iv) in subordinate comparative clauses:

ha recitato meglio di quanto non ci aspettassimo
he/she acted better than we expected

v) in subordinate concessive clauses:

sebbene sia ricco non è affatto felice
although he is rich he is not at all happy

vi) in subordinate conditional clauses:

qualora avessi qualche difficoltà, dimmelo subito
should you have any difficulty, tell me immediately

vii)   after verbs of doubting:

    dubito che sia vero
    I doubt whether it is true

viii)   after verbs of fearing:

    temo che sia troppo tardi
    I am afraid it is too late

ix)   after verbs of hoping:

    spero che voi arriviate in tempo
    I hope that you arrive in time

x)   after verbs of wishing/desiring:

    voglio che lei ripassi domani
    I want her to call by again tomorrow

xi)   after verbs of uncertainty:

    mi sembra che Francesca torni stasera
    as far as I know, Francesca is returning this evening

xii)   after verbs expressing good wishes:

    mi auguro che il problema passi presto
    I hope that the problem passes soon

xiii)   after verbs of thinking/believing:

    credo che loro abitino in città
    I think they live in town

xiv)   after relative superlative forms:

    è il libro meno interessante che io abbia mai letto
    it is the least interesting book I have ever read

xv)   after the adjectives **primo**, **ultimo** and **unico**:

    è l'unico libro che egli abbia mai comprato
    it is the only book he has ever bought

xvi)   in a range of indefinite expressions:

    chiunque dovesse arrivare, non lo voglio vedere
    whoever comes, I don't want to see them
    dovunque vada, trova molti amici
    wherever he/she goes, he/she makes a lot of friends

xvii) in conditional statements where the condition is unlikely to be
fulfilled:

se avessi il tempo, farei una passeggiata
if I had the time, I would go for a walk

xviii) in subordinate clauses following verbs that express emotion:

sono lieto che tu sia tornato a casa!
I am happy that you have come home!

mi dispiace che tu stia malato
I am sorry that you are ill

xix) in impersonal expressions:

è improbabile che io sia a scuola domani
it is unlikely that I will be at school tomorrow

xx) in indirect questions:

tutti si chiedono come si possano imparare tanti verbi
everyone wonders how so many verbs can be learnt

xxi) in clauses with negative antecedents:

non c'è nessuno qui che sappia parlare russo
there's nobody here who can speak Russian

xxii) in independent clauses expressing a wish:

fosse vero!
would that it were true!

viva il re!
long live the king!

xxiii) in independent clauses expressing a command in the polite forms
Lei/lei, Loro/loro:

esca subito!
go out immediately!

xxiv) in independent clauses expressing a supposition:

che stia per nevicare?
perhaps it's going to snow?

13. The *GERUND* in Italian corresponds most commonly to the *-ing*
form of the verb in English.

i) it is used with **stare** to form the progressive tenses, see p x-xi.

ii)   it is used in association with a main verb (when the subject of the two actions is the same person) to express the idea of 'by doing', 'on going', etc:

studiando sodo, impariamo molte cose
by studying hard, we learn a lot

14.   The ***PAST PARTICIPLE***, apart from its use in the formation of compound tenses, is also commonly employed as an adjective:

questa maledetta penna
this damned pen

15.   The ***INFINITIVE*** may be used:

i)   in subordinate clauses when the same subject is implied:

credo di conoscere questo signore
I believe I know this gentleman

ii)   in imperatives as used in public notices etc:

in caso di emergenza, telefonare al 113
in an emergency, telephone 113

non calpestare l'erba
keep off the grass

iii)   as a verbal noun taking masculine gender:

il viaggiare è molto costoso
travelling is very expensive

iv)   as a genderless verbal noun:

non mi piace fare la coda
I don't like queuing

v)   in many expressions governed by a preposition:

tento di imparare i verbi italiani
I'm trying to learn Italian verbs

16.   The ***PASSIVE VOICE*** is formed by using **essere** plus the past participle of the verb in question. In the passive voice, the subject receives the action of the verb:

il malato è visitato dal medico
the sick man is visited by the doctor

For an example of the full conjugation of a passive verb, see page xix.

C. AGREEMENT OF THE PAST PARTICIPLE (see also 14, page xvii)

i) When the auxiliary is **essere**, the past participle agrees in number and gender with the subject:

Simona è partita per Napoli
Simona has left for Naples

i regali sono stati divisi equamente
the presents have been equally divided

ii) When the auxiliary is **avere** and there is a direct object *before* the participle, agreement is optional:

i libri che Nadia ha comprati
i libri che Nadia ha comprato
the books that Nadia bought

iii) When the auxiliary is **avere**, and the direct object is one of the object pronouns **lo, la, li, le** and precedes the verb, the past participle agrees with the direct object:

le banane? - le ho comprate oggi
the bananas? - I bought them today

iv) When the auxiliary is **avere**, and the direct object pronoun is **mi, ti, ci, vi** or **ne** and precedes the verb, agreement with the direct object is optional:

mi dispiace, Silvia, se ti ho disturbato
mi dispiace, Silvia, se ti ho disturbata
I'm sorry if I bothered you, Silvia

ha mangiato della pasta -	**ne ha mangiata**
he/she ate some pasta -	**ne ha mangiato**
	he/she ate some of it

If there is another qualifying word in the same sentence showing agreement then the past participle *must* also agree:

ne ha mangiata troppa!   he/she ate too much (of it)!

v) With reflexive verbs the past participle can agree with either the subject or the object:

Lucia si è lavata le mani
Lucia si è lavate le mani
Lucia washed her hands

ESSERE AMATO
to be loved

PRESENT	**IMPERFECT**	**FUTURE**
1 sono amato/a	ero amato/a	sarò amato/a
2 sei amato/a	eri amato/a	sarai amato/a
3 è amato/a	era amato/a	sarà amato/a
1 siamo amati/e	eravamo amati/e	saremo amati/e
2 siete amati/e	eravate amati/e	sarete amati/e
3 sono amati/e	erano amati/e	saranno amati/e

PASSATO REMOTO	**PASSATO PROSSIMO**	**PLUPERFECT**
1 fui amato/a	sono stato/a amato/a	ero stato/a amato/a
2 fosti amato/a	sei stato/a amato/a	eri stato/a amato/a
3 fu amato/a	è stato/a amato/a	era stato/a amato/a
1 fummo amati/e	siamo stati/e amati/e	eravamo stati/e amati/e
2 foste amati/e	siete stati/e amati/e	eravate stati/e amati/e
3 furono amati/e	sono stati/e amati/e	erano stati/e amati/e

PAST ANTERIOR		**FUTURE PERFECT**
fui stato/a amato/a *etc*		sarò stato/a amato/a *etc*

CONDITIONAL   *IMPERATIVE*

PRESENT	**PAST**
1 sarei amato/a	sarei stato/a amato/a
2 saresti amato/a	saresti stato/a amato/a
3 sarebbe amato/a	sarebbe stato/a amato/a
1 saremmo amati/e	saremmo stati/e amati/e
2 sareste amati/e	sareste stati/e amati/e
3 sarebbero amati/e	sarebbero stati/e amati/e

SUBJUNCTIVE

PRESENT	**IMPERFECT**	**PLUPERFECT**
1 sia amato/a	fossi amato/a	fossi stato/a amato/a
2 sia amato/a	fossi amato/a	fossi stato/a amato/a
3 sia amato/a	fosse amato/a	fosse stato/a amato/a
1 siamo amati/e	fossimo amati/e	fossimo stati/e amati/e
2 siate amati/e	foste amati/e	foste stati/e amati/e
3 siano amati/e	fossero amati/e	fossero stati/e amati/e

PASSATO PROSSIMO	sia stato/a amato/a *etc*

INFINITIVE	*GERUND*	*PAST PARTICIPLE*
PRESENT	essendo amato/a/i/e	essendo stato/a/i/e
esser(e) amato/a/i/e		amato/a/i/e
PAST		
esser(e) stato/a/i/e amato/a/i/e		

Notes:

In this book we have used the numbers 1, 2, 3 to indicate the first, second and third persons of the verb. In each verb table the second 1, 2, 3 are the plural forms. It is important to note that, in Italian, the polite forms *Lei/lei* and *Loro/loro* - 'you' in the singular and plural, take the *third* person (singular and plural) of the verb.

The stress pattern of Italian verbs often causes difficulty for the learner. One simple guideline to remember is that in the present tense all singular forms are stressed on the stem, in the plural the first and second persons are stressed on the penultimate syllable of the ending, whilst for the third person plural the stress reverts to the stem:

PRESENT

1	rìdo
2	rìdi
3	rìde
1	ridiàmo
2	ridète
3	rìdono

Unlike English, Italian does not routinely use subject pronouns with verb forms. This is because in virtually all cases the verb ending (as well as the context) will indicate the subject intended. Where subject pronouns are found in Italian, it is usually for emphasis or particular clarity.

As a convention we have used grave accents ` on 'a', 'i', 'o' and 'u' and have differentiated between acute ´ and grave on 'e'. Use of grave and acute accents remains the subject of continuing academic debate.

ABITARE
to live

	PRESENT	IMPERFECT	FUTURE
1	abito	abitavo	abiterò
2	abiti	abitavi	abiterai
3	abita	abitava	abiterà
1	abitiamo	abitavamo	abiteremo
2	abitate	abitavate	abiterete
3	abitano	abitavano	abiteranno

	PASSATO REMOTO	PASSATO PROSSIMO	PLUPERFECT
1	abitai	ho abitato	avevo abitato
2	abitasti	hai abitato	avevi abitato
3	abitò	ha abitato	aveva abitato
1	abitammo	abbiamo abitato	avevamo abitato
2	abitaste	avete abitato	avevate abitato
3	abitarono	hanno abitato	avevano abitato

PAST ANTERIOR	FUTURE PERFECT
ebbi abitato *etc*	avrò abitato *etc*

CONDITIONAL		*IMPERATIVE*

	PRESENT	PAST	
1	abiterei	avrei abitato	
2	abiteresti	avresti abitato	abita
3	abiterebbe	avrebbe abitato	abiti
1	abiteremmo	avremmo abitato	abitiamo
2	abitereste	avreste abitato	abitate
3	abiterebbero	avrebbero abitato	abitino

SUBJUNCTIVE		

	PRESENT	IMPERFECT	PLUPERFECT
1	abiti	abitassi	avessi abitato
2	abiti	abitassi	avessi abitato
3	abiti	abitasse	avesse abitato
1	abitiamo	abitassimo	avessimo abitato
2	abitiate	abitaste	aveste abitato
3	abitino	abitassero	avessero abitato

PASSATO PROSSIMO	abbia abitato *etc*

INFINITIVE	*GERUND*	*PAST PARTICIPLE*
PRESENT	abitando	abitato
abitare		
PAST		
aver(e) abitato		

2

ACCENDERE
to switch on

	PRESENT	IMPERFECT	FUTURE
1	accendo	accendevo	accenderò
2	accendi	accendevi	accenderai
3	accende	accendeva	accenderà
1	accendiamo	accendevamo	accenderemo
2	accendete	accendevate	accenderete
3	accendono	accendevano	accenderanno

	PASSATO REMOTO	PASSATO PROSSIMO	PLUPERFECT
1	accesi	ho acceso	avevo acceso
2	accendesti	hai acceso	avevi acceso
3	accese	ha acceso	aveva acceso
1	accendemmo	abbiamo acceso	avevamo acceso
2	accendeste	avete acceso	avevate acceso
3	accesero	hanno acceso	avevano acceso

PAST ANTERIOR	FUTURE PERFECT
ebbi acceso *etc*	avrò acceso *etc*

CONDITIONAL

IMPERATIVE

	PRESENT	PAST	
1	accenderei	avrei acceso	
2	accenderesti	avresti acceso	accendi
3	accenderebbe	avrebbe acceso	accenda
1	accenderemmo	avremmo acceso	accendiamo
2	accendereste	avreste acceso	accendete
3	accenderebbero	avrebbero acceso	accendano

SUBJUNCTIVE

	PRESENT	IMPERFECT	PLUPERFECT
1	accenda	accendessi	avessi acceso
2	accenda	accendessi	avessi acceso
3	accenda	accendesse	avesse acceso
1	accendiamo	accendessimo	avessimo acceso
2	accendiate	accendeste	aveste acceso
3	accendano	accendessero	avessero acceso

PASSATO PROSSIMO	abbia acceso *etc*

INFINITIVE	GERUND	PAST PARTICIPLE
PRESENT	accendendo	acceso
accendere		
PAST		
aver(e) acceso		

ACCETTARE
to accept

PRESENT	IMPERFECT	FUTURE
1 accetto	accettavo	accetterò
2 accetti	accettavi	accetterai
3 accetta	accettava	accetterà
1 accettiamo	accettavamo	accetteremo
2 accettate	accettavate	accetterete
3 accettano	accettavano	accetteranno

PASSATO REMOTO	PASSATO PROSSIMO	PLUPERFECT
1 accettai	ho accettato	avevo accettato
2 accettasti	hai accettato	avevi accettato
3 accettò	ha accettato	aveva accettato
1 accettammo	abbiamo accettato	avevamo accettato
2 accettaste	avete accettato	avevate accettato
3 accettarono	hanno accettato	avevano accettato

PAST ANTERIOR		FUTURE PERFECT
ebbi accettato *etc*		avrò accettato *etc*

CONDITIONAL		IMPERATIVE
PRESENT	PAST	
1 accetterei	avrei accettato	
2 accetteresti	avresti accettato	accetta
3 accetterebbe	avrebbe accettato	accetti
1 accetteremmo	avremmo accettato	accettiamo
2 accettereste	avreste accettato	accettate
3 accetterebbero	avrebbero accettato	accettino

SUBJUNCTIVE

PRESENT	IMPERFECT	PLUPERFECT
1 accetti	accettassi	avessi accettato
2 accetti	accettassi	avessi accettato
3 accetti	accettasse	avesse accettato
1 accettiamo	accettassimo	avessimo accettato
2 accettiate	accettaste	aveste accettato
3 accettino	accettassero	avessero accettato

PASSATO PROSSIMO	abbia accettato *etc*	

INFINITIVE	GERUND	PAST PARTICIPLE
PRESENT	accettando	accettato
accettare		
PAST		
aver(e) accettato		

4

ACCOMPAGNARE
to accompany

PRESENT	IMPERFECT	FUTURE
1 accompagno	accompagnavo	accompagnerò
2 accompagni	accompagnavi	accompagnerai
3 accompagna	accompagnava	accompagnerà
1 accompagniamo	accompagnavamo	accompagneremo
2 accompagnate	accompagnavate	accompagnerete
3 accompagnano	accompagnavano	accompagneranno

PASSATO REMOTO	PASSATO PROSSIMO	PLUPERFECT
1 accompagnai	ho accompagnato	avevo accompagnato
2 accompagnasti	hai accompagnato	avevi accompagnato
3 accompagnò	ha accompagnato	aveva accompagnato
1 accompagnammo	abbiamo accompagnato	avevamo accompagnato
2 accompagnaste	avete accompagnato	avevate accompagnato
3 accompagnarono	hanno accompagnato	avevano accompagnato

PAST ANTERIOR		FUTURE PERFECT
ebbi accompagnato *etc*		avrò accompagnato *etc*

CONDITIONAL		*IMPERATIVE*

PRESENT	PAST	
1 accompagnerei	avrei accompagnato	
2 accompagneresti	avresti accompagnato	accompagna
3 accompagnerebbe	avrebbe accompagnato	accompagni
1 accompagneremmo	avremmo accompagnato	accompagniamo
2 accompagnereste	avreste accompagnato	accompagnate
3 accompagnerebbero	avrebbero accompagnato	accompagnino

SUBJUNCTIVE

PRESENT	IMPERFECT	PLUPERFECT
1 accompagni	accompagnassi	avessi accompagnato
2 accompagni	accompagnassi	avessi accompagnato
3 accompagni	accompagnasse	avesse accompagnato
1 accompagniamo	accompagnassimo	avessimo accompagnato
2 accompagnate	accompagnaste	aveste accompagnato
3 accompagnino	accompagnassero	avessero accompagnato

PASSATO PROSSIMO	abbia accompagnato *etc*

INFINITIVE	*GERUND*	*PAST PARTICIPLE*
PRESENT	accompagnando	accompagnato
accompagnare		
PAST		
aver(e) accompagnato		

ACCORGERSI
to notice, realise, become aware of

5

PRESENT	IMPERFECT	FUTURE
1 mi accorgo	mi accorgevo	mi accorgerò
2 ti accorgi	ti accorgevi	ti accorgerai
3 si accorge	si accorgeva	si accorgerà
1 ci accorgiamo	ci accorgevamo	ci accorgeremo
2 vi accorgete	vi accorgevate	vi accorgerete
3 si accorgono	si accorgevano	si accorgeranno

PASSATO REMOTO	PASSATO PROSSIMO	PLUPERFECT
1 mi accorsi	mi sono accorto/a	mi ero accorto/a
2 ti accorgesti	ti sei accorto/a	ti eri accorto/a
3 si accorse	si è accorto/a	si era accorto/a
1 ci accorgemmo	ci siamo accorti/e	ci eravamo accorti/e
2 vi accorgeste	vi siete accorti/e	vi eravate accorti/e
3 si accorsero	si sono accorti/e	si erano accorti/e

PAST ANTERIOR	FUTURE PERFECT
mi fui accorto/a *etc*	mi sarò accorto/a *etc*

CONDITIONAL		IMPERATIVE

PRESENT	PAST	
1 mi accorgerei	mi sarei accorto/a	
2 ti accorgeresti	ti saresti accorto/a	accorgiti
3 si accorgerebbe	si sarebbe accorto/a	si accorga
1 ci accorgeremmo	ci saremmo accorti/e	accorgiamoci
2 vi accorgereste	vi sareste accorti/e	accorgetevi
3 si accorgerebbero	si sarebbero accorti/e	si accorgano

SUBJUNCTIVE

PRESENT	IMPERFECT	PLUPERFECT
1 mi accorga	mi accorgessi	mi fossi accorto/a
2 ti accorga	ti accorgessi	ti fossi accorto/a
3 si accorga	si accorgesse	si fosse accorto/a
1 ci accorgiamo	ci accorgessimo	ci fossimo accorti/e
2 vi accorgiate	vi accorgeste	vi foste accorti/e
3 si accorgano	si accorgessero	si fossero accorti/e

PASSATO PROSSIMO	mi sia accorto/a *etc*

INFINITIVE	GERUND	PAST PARTICIPLE
PRESENT	accorgendomi *etc*	accorto/a/i/e
accorgersi		
PAST		
essersi accorto/a/i/e		

6 ACCUSARE
to accuse

PRESENT	IMPERFECT	FUTURE
1 accuso	accusavo	accuserò
2 accusi	accusavi	accuserai
3 accusa	accusava	accuserà
1 accusiamo	accusavamo	accuseremo
2 accusate	accusavate	accuserete
3 accusano	accusavano	accuseranno

PASSATO REMOTO	PASSATO PROSSIMO	PLUPERFECT
1 accusai	ho accusato	avevo accusato
2 accusasti	hai accusato	avevi accusato
3 accusò	ha accusato	aveva accusato
1 accusammo	abbiamo accusato	avevamo accusato
2 accusaste	avete accusato	avevate accusato
3 accusarono	hanno accusato	avevano accusato

PAST ANTERIOR	FUTURE PERFECT
ebbi accusato *etc*	avrò accusato *etc*

CONDITIONAL

IMPERATIVE

PRESENT	PAST	
1 accuserei	avrei accusato	
2 accuseresti	avresti accusato	accusa
3 accuserebbe	avrebbe accusato	accusi
1 accuseremmo	avremmo accusato	accusiamo
2 accusereste	avreste accusato	accusate
3 accuserebbero	avrebbero accusato	accusino

SUBJUNCTIVE

PRESENT	IMPERFECT	PLUPERFECT
1 accusi	accusassi	avessi accusato
2 accusi	accusassi	avessi accusato
3 accusi	accusasse	avesse accusato
1 accusiamo	accusassimo	avessimo accusato
2 accusiate	accusaste	aveste accusato
3 accusino	accusassero	avessero accusato

PASSATO PROSSIMO	abbia accusato *etc*

INFINITIVE	GERUND	PAST PARTICIPLE
PRESENT accusare	accusando	accusato
PAST aver(e) accusato		

ACQUISTARE
to buy, acquire, improve

	PRESENT	IMPERFECT	FUTURE
1	acquisto	acquistavo	acquisterò
2	acquisti	acquistavi	acquisterai
3	acquista	acquistava	acquisterà
1	acquistiamo	acquistavamo	acquisteremo
2	acquistate	acquistavate	acquisterete
3	acquistano	acquistavano	acquisteranno

	PASSATO REMOTO	PASSATO PROSSIMO	PLUPERFECT
1	acquistai	ho acquistato	avevo acquistato
2	acquistasti	hai acquistato	avevi acquistato
3	acquistò	ha acquistato	aveva acquistato
1	acquistammo	abbiamo acquistato	avevamo acquistato
2	acquistaste	avete acquistato	avevate acquistato
3	acquistarono	hanno acquistato	avevano acquistato

PAST ANTERIOR	FUTURE PERFECT
ebbi acquistato *etc*	avrò acquistato *etc*

CONDITIONAL		*IMPERATIVE*

	PRESENT	PAST	
1	acquisterei	avrei acquistato	
2	acquisteresti	avresti acquistato	acquista
3	acquisterebbe	avrebbe acquistato	acquisti
1	acquisteremmo	avremmo acquistato	acquistiamo
2	acquistereste	avreste acquistato	acquistate
3	acquisterebbero	avrebbero acquistato	acquistino

SUBJUNCTIVE

	PRESENT	IMPERFECT	PLUPERFECT
1	acquisti	acquistassi	avessi acquistato
2	acquisti	acquistassi	avessi acquistato
3	acquisti	acquistasse	avesse acquistato
1	acquistiamo	acquistassimo	avessimo acquistato
2	acquistiate	acquistaste	aveste acquistato
3	acquistino	acquistassero	avessero acquistato

PASSATO PROSSIMO	abbia acquistato *etc*

INFINITIVE	*GERUND*	*PAST PARTICIPLE*
PRESENT	acquistando	acquistato
acquistare		
PAST		
aver(e) acquistato		

8 AFFIGGERE
to stick up

PRESENT	IMPERFECT	FUTURE
1 affiggo	affiggevo	affiggerò
2 affiggi	affiggevi	affiggerai
3 affigge	affiggeva	affiggerà
1 affiggiamo	affiggevamo	affiggeremo
2 affiggete	affiggevate	affiggerete
3 affiggono	affiggevano	affiggeranno

PASSATO REMOTO	PASSATO PROSSIMO	PLUPERFECT
1 affissi	ho affisso	avevo affisso
2 affiggesti	hai affisso	avevi affisso
3 affisse	ha affisso	aveva affisso
1 affiggemmo	abbiamo affisso	avevamo affisso
2 affiggeste	avete affisso	avevate affisso
3 affissero	hanno affisso	avevano affisso

PAST ANTERIOR	FUTURE PERFECT
ebbi affisso *etc*	avrò affisso *etc*

CONDITIONAL		IMPERATIVE

PRESENT	PAST	
1 affiggerei	avrei affisso	
2 affiggeresti	avresti affisso	affiggi
3 affiggerebbe	avrebbe affisso	affigga
1 affiggeremmo	avremmo affisso	affiggiamo
2 affiggereste	avreste affisso	affiggete
3 affiggerebbero	avrebbero affisso	affiggano

SUBJUNCTIVE

PRESENT	IMPERFECT	PLUPERFECT
1 affigga	affiggessi	avessi affisso
2 affigga	affiggessi	avessi affisso
3 affigga	affiggesse	avesse affisso
1 affiggiamo	affiggessimo	avessimo affisso
2 affiggiate	affiggeste	aveste affisso
3 affiggano	affiggessero	avessero affisso

PASSATO PROSSIMO	abbia affisso *etc*

INFINITIVE	GERUND	PAST PARTICIPLE
PRESENT	affiggendo	affisso
affiggere		
PAST		
aver(e) affisso		

AFFITTARE
to rent

PRESENT	IMPERFECT	FUTURE
1 affitto	affittavo	affitterò
2 affitti	affittavi	affitterai
3 affitta	affittava	affitterà
1 affittiamo	affittavamo	affitteremo
2 affittate	affittavate	affitterete
3 affittano	affittavano	affitteranno

PASSATO REMOTO	PASSATO PROSSIMO	PLUPERFECT
1 affittai	ho affittato	avevo affittato
2 affittasti	hai affittato	avevi affittato
3 affittò	ha affittato	aveva affittato
1 affittammo	abbiamo affittato	avevamo affittato
2 affittaste	avete affittato	avevate affittato
3 affittarono	hanno affittato	avevano affittato

PAST ANTERIOR		FUTURE PERFECT
ebbi affittato *etc*		avrò affittato *etc*

CONDITIONAL		*IMPERATIVE*

PRESENT	PAST	
1 affitterei	avrei affittato	
2 affitteresti	avresti affittato	affitta
3 affitterebbe	avrebbe affittato	affitti
1 affitteremmo	avremmo affittato	affittiamo
2 affittereste	avreste affittato	affittate
3 affitterebbero	avrebbero affittato	affittino

SUBJUNCTIVE

PRESENT	IMPERFECT	PLUPERFECT
1 affitti	affittassi	avessi affittato
2 affitti	affittassi	avessi affittato
3 affitti	affittasse	avesse affittato
1 affittiamo	affittassimo	avessimo affittato
2 affittiate	affittaste	aveste affittato
3 affittino	affittassero	avessero affittato

PASSATO PROSSIMO	abbia affittato *etc*

INFINITIVE	*GERUND*	*PAST PARTICIPLE*
PRESENT	affittando	affittato
affittare		
PAST		
aver(e) affittato		

10 AFFLIGGERE
to afflict, trouble

PRESENT	IMPERFECT	FUTURE
1 affliggo	affliggevo	affliggerò
2 affliggi	affliggevi	affliggerai
3 affligge	affliggeva	affliggerà
1 affliggiamo	affliggevamo	affliggeremo
2 affliggete	affliggevate	affliggerete
3 affliggono	affliggevano	affliggeranno

PASSATO REMOTO	PASSATO PROSSIMO	PLUPERFECT
1 afflissi	ho afflitto	avevo afflitto
2 affliggesti	hai afflitto	avevi afflitto
3 afflisse	ha afflitto	aveva afflitto
1 affliggemmo	abbiamo afflitto	avevamo afflitto
2 affliggeste	avete afflitto	avevate afflitto
3 afflissero	hanno afflitto	avevano afflitto

PAST ANTERIOR		FUTURE PERFECT
ebbi afflitto *etc*		avrò afflitto *etc*

CONDITIONAL		*IMPERATIVE*

PRESENT	PAST	
1 affliggerei	avrei afflitto	
2 affliggeresti	avresti afflitto	affliggi
3 affliggerebbe	avrebbe afflitto	affligga
1 affliggeremmo	avremmo afflitto	affliggiamo
2 affliggereste	avreste afflitto	affliggete
3 affliggerebbero	avrebbero afflitto	affliggano

SUBJUNCTIVE

PRESENT	IMPERFECT	PLUPERFECT
1 affligga	affliggessi	avessi afflitto
2 affligga	affliggessi	avessi afflitto
3 affligga	affliggesse	avesse afflitto
1 affliggiamo	affliggessimo	avessimo afflitto
2 affliggiate	affliggeste	aveste afflitto
3 affliggano	affliggessero	avessero afflitto

PASSATO PROSSIMO	abbia afflitto *etc*

INFINITIVE	*GERUND*	*PAST PARTICIPLE*
PRESENT	affliggendo	afflitto
affliggere		
PAST		
aver(e) afflitto		

AGIRE
to act

	PRESENT	IMPERFECT	FUTURE
1	agisco	agivo	agirò
2	agisci	agivi	agirai
3	agisce	agiva	agirà
1	agiamo	agivamo	agiremo
2	agite	agivate	agirete
3	agiscono	agivano	agiranno

	PASSATO REMOTO	PASSATO PROSSIMO	PLUPERFECT
1	agii	ho agito	avevo agito
2	agisti	hai agito	avevi agito
3	agì	ha agito	aveva agito
1	agimmo	abbiamo agito	avevamo agito
2	agiste	avete agito	avevate agito
3	agirono	hanno agito	avevano agito

PAST ANTERIOR	FUTURE PERFECT
ebbi agito *etc*	avrò agito *etc*

CONDITIONAL		*IMPERATIVE*

	PRESENT	PAST	
1	agirei	avrei agito	
2	agiresti	avresti agito	agisci
3	agirebbe	avrebbe agito	agisca
1	agiremmo	avremmo agito	agiamo
2	agireste	avreste agito	agite
3	agirebbero	avrebbero agito	agiscano

SUBJUNCTIVE

	PRESENT	IMPERFECT	PLUPERFECT
1	agisca	agissi	avessi agito
2	agisca	agissi	avessi agito
3	agisca	agisse	avesse agito
1	agiamo	agissimo	avessimo agito
2	agiate	agiste	aveste agito
3	agiscano	agissero	avessero agito

PASSATO PROSSIMO	abbia agito *etc*

INFINITIVE	*GERUND*	*PAST PARTICIPLE*
PRESENT	agendo	agito
agire		
PAST		
aver(e) agito		

12 AIUTARE
to help

PRESENT	IMPERFECT	FUTURE
1 aiuto	aiutavo	aiuterò
2 aiuti	aiutavi	aiuterai
3 aiuta	aiutava	aiuterà
1 aiutiamo	aiutavamo	aiuteremo
2 aiutate	aiutavate	aiuterete
3 aiutano	aiutavano	aiuteranno

PASSATO REMOTO	PASSATO PROSSIMO	PLUPERFECT
1 aiutai	ho aiutato	avevo aiutato
2 aiutasti	hai aiutato	avevi aiutato
3 aiutò	ha aiutato	aveva aiutato
1 aiutammo	abbiamo aiutato	avevamo aiutato
2 aiutaste	avete aiutato	avevate aiutato
3 aiutarono	hanno aiutato	avevano aiutato

PAST ANTERIOR		FUTURE PERFECT
ebbi aiutato *etc*		avrò aiutato *etc*

CONDITIONAL

IMPERATIVE

PRESENT	PAST	
1 aiuterei	avrei aiutato	
2 aiuteresti	avresti aiutato	aiuta
3 aiuterebbe	avrebbe aiutato	aiuti
1 aiuteremmo	avremmo aiutato	aiutiamo
2 aiutereste	avreste aiutato	aiutate
3 aiuterebbero	avrebbero aiutato	aiutino

SUBJUNCTIVE

PRESENT	IMPERFECT	PLUPERFECT
1 aiuti	aiutassi	avessi aiutato
2 aiuti	aiutassi	avessi aiutato
3 aiuti	aiutasse	avesse aiutato
1 aiutiamo	aiutassimo	avessimo aiutato
2 aiutiate	aiutaste	aveste aiutato
3 aiutino	aiutassero	avessero aiutato

PASSATO PROSSIMO	abbia aiutato *etc*

INFINITIVE	GERUND	PAST PARTICIPLE
PRESENT	aiutando	aiutato
aiutare		
PAST		
aver(e) aiutato		

ALZARSI
to rise, get up

PRESENT	IMPERFECT	FUTURE
1 mi alzo	mi alzavo	mi alzerò
2 ti alzi	ti alzavi	ti alzerai
3 si alza	si alzava	si alzerà
1 ci alziamo	ci alzavamo	ci alzeremo
2 vi alzate	vi alzavate	vi alzerete
3 si alzano	si alzavano	si alzeranno

PASSATO REMOTO	PASSATO PROSSIMO	PLUPERFECT
1 mi alzai	mi sono alzato/a	mi ero alzato/a
2 ti alzasti	ti sei alzato/a	ti eri alzato/a
3 si alzò	si è alzato/a	si era alzato/a
1 ci alzammo	ci siamo alzati/e	ci eravamo alzati/e
2 vi alzaste	vi siete alzati/e	vi eravate alzati/e
3 si alzarono	si sono alzati/e	si erano alzati/e

PAST ANTERIOR		FUTURE PERFECT
mi fui alzato/a *etc*		mi sarò alzato/a *etc*

CONDITIONAL

IMPERATIVE

PRESENT	PAST	
1 mi alzerei	mi sarei alzato/a	
2 ti alzeresti	ti saresti alzato/a	alzati
3 si alzerebbe	si sarebbe alzato/a	si alzi
1 ci alzeremmo	ci saremmo alzati/e	alziamoci
2 vi alzereste	vi sareste alzati/e	alzatevi
3 si alzerebbero	si sarebbero alzati/e	si alzino

SUBJUNCTIVE

PRESENT	IMPERFECT	PLUPERFECT
1 mi alzi	mi alzassi	mi fossi alzato/a
2 ti alzi	ti alzassi	ti fossi alzato/a
3 si alzi	si alzasse	si fosse alzato/a
1 ci alziamo	ci alzassimo	ci fossimo alzati/e
2 vi alziate	vi alzaste	vi foste alzati/e
3 si alzino	si alzassero	si fossero alzati/e

PASSATO PROSSIMO	mi sia alzato/a *etc*

INFINITIVE	GERUND	PAST PARTICIPLE
PRESENT	alzandomi *etc*	alzato/a/i/e
alzarsi		
PAST		
essersi alzato/a/i/e		

14   AMARE
to love

PRESENT	IMPERFECT	FUTURE
1 amo	amavo	amerò
2 ami	amavi	amerai
3 ama	amava	amerà
1 amiamo	amavamo	ameremo
2 amate	amavate	amerete
3 amano	amavano	ameranno

PASSATO REMOTO	PASSATO PROSSIMO	PLUPERFECT
1 amai	ho amato	avevo amato
2 amasti	hai amato	avevi amato
3 amò	ha amato	aveva amato
1 amammo	abbiamo amato	avevamo amato
2 amaste	avete amato	avevate amato
3 amarono	hanno amato	avevano amato

PAST ANTERIOR	FUTURE PERFECT
ebbi amato *etc*	avrò amato *etc*

CONDITIONAL   *IMPERATIVE*

PRESENT	PAST	
1 amerei	avrei amato	
2 ameresti	avresti amato	ama
3 amerebbe	avrebbe amato	ami
1 ameremmo	avremmo amato	amiamo
2 amereste	avreste amato	amate
3 amerebbero	avrebbero amato	amino

SUBJUNCTIVE

PRESENT	IMPERFECT	PLUPERFECT
1 ami	amassi	avessi amato
2 ami	amassi	avessi amato
3 ami	amasse	avesse amato
1 amiamo	amassimo	avessimo amato
2 amiate	amaste	aveste amato
3 amino	amassero	avessero amato

PASSATO PROSSIMO	abbia amato *etc*

INFINITIVE	*GERUND*	*PAST PARTICIPLE*
PRESENT	amando	amato
amare		
PAST		
aver(e) amato		

ANDARE
to go

PRESENT	IMPERFECT	FUTURE
1 vado	andavo	andrò
2 vai	andavi	andrai
3 va	andava	andrà
1 andiamo	andavamo	andremo
2 andate	andavate	andrete
3 vanno	andavano	andranno

PASSATO REMOTO	PASSATO PROSSIMO	PLUPERFECT
1 andai	sono andato/a	ero andato/a
2 andasti	sei andato/a	eri andato/a
3 andò	è andato/a	era andato/a
1 andammo	siamo andati/e	eravamo andati/e
2 andaste	siete andati/e	eravate andati/e
3 andarono	sono andati/e	erano andati/e

PAST ANTERIOR	FUTURE PERFECT
fui andato/a *etc*	sarò andato/a *etc*

CONDITIONAL		*IMPERATIVE*
PRESENT	**PAST**	
1 andrei	sarei andato/a	
2 andresti	saresti andato/a	va/vai/va'
3 andrebbe	sarebbe andato/a	vada
1 andremmo	saremmo andati/e	andiamo
2 andreste	sareste andati/e	andate
3 andrebbero	sarebbero andati/e	vadano

SUBJUNCTIVE

PRESENT	IMPERFECT	PLUPERFECT
1 vada	andassi	fossi andato/a
2 vada	andassi	fossi andato/a
3 vada	andasse	fosse andato/a
1 andiamo	andassimo	fossimo andati/e
2 andiate	andaste	foste andati/e
3 vadano	andassero	fossero andati/e

PASSATO PROSSIMO	sia andato/a *etc*

INFINITIVE	*GERUND*	*PAST PARTICIPLE*
PRESENT	andando	andato/a/i/e
andare		
PAST		
esser(e) andato/a/i/e		

ANNETTERE
to annexe

PRESENT	IMPERFECT	FUTURE
1 annetto	annettevo	annetterò
2 annetti	annettevi	annetterai
3 annette	annetteva	annetterà
1 annettiamo	annettevamo	annetteremo
2 annettete	annettevate	annetterete
3 annettono	annettevano	annetteranno

PASSATO REMOTO	PASSATO PROSSIMO	PLUPERFECT
1 annettei/annessi	ho annesso	avevo annesso
2 annettesti	hai annesso	avevi annesso
3 annetté/annesse	ha annesso	aveva annesso
1 annettemmo	abbiamo annesso	avevamo annesso
2 annetteste	avete annesso	avevate annesso
3 annetterono/annessero	hanno annesso	avevano annesso

PAST ANTERIOR		FUTURE PERFECT
ebbi annesso *etc*		avrò annesso *etc*

CONDITIONAL		*IMPERATIVE*
PRESENT	PAST	
1 annetterei	avrei annesso	
2 annetteresti	avresti annesso	annetti
3 annetterebbe	avrebbe annesso	annetta
1 annetteremmo	avremmo annesso	annettiamo
2 annettereste	avreste annesso	annettete
3 annetterebbero	avrebbero annesso	annettano

SUBJUNCTIVE

PRESENT	IMPERFECT	PLUPERFECT
1 annetta	annettessi	avessi annesso
2 annetta	annettessi	avessi annesso
3 annetta	annettesse	avesse annesso
1 annettiamo	annettessimo	avessimo annesso
2 annettiate	annetteste	aveste annesso
3 annettano	annettessero	avessero annesso

PASSATO PROSSIMO	abbia annesso *etc*

INFINITIVE	*GERUND*	*PAST PARTICIPLE*
PRESENT	annettendo	annesso
annettere		
PAST		
aver(e) annesso		

APPENDERE
to hang

PRESENT	IMPERFECT	FUTURE
1 appendo	appendevo	appenderò
2 appendi	appendevi	appenderai
3 appende	appendeva	appenderà
1 appendiamo	appendevamo	appenderemo
2 appendete	appendevate	appenderete
3 appendono	appendevano	appenderanno

PASSATO REMOTO	PASSATO PROSSIMO	PLUPERFECT
1 appesi	ho appeso	avevo appeso
2 appendesti	hai appeso	avevi appeso
3 appese	ha appeso	aveva appeso
1 appendemmo	abbiamo appeso	avevamo appeso
2 appendeste	avete appeso	avevate appeso
3 appesero	hanno appeso	avevano appeso

PAST ANTERIOR	FUTURE PERFECT
ebbi appeso *etc*	avrò appeso *etc*

CONDITIONAL   *IMPERATIVE*

PRESENT	PAST	
1 appenderei	avrei appeso	
2 appenderesti	avresti appeso	appendi
3 appenderebbe	avrebbe appeso	appenda
1 appenderemmo	avremmo appeso	appendiamo
2 appendereste	avreste appeso	appendete
3 appenderebbero	avrebbero appeso	appendano

SUBJUNCTIVE

PRESENT	IMPERFECT	PLUPERFECT
1 appenda	appendessi	avessi appeso
2 appenda	appendessi	avessi appeso
3 appenda	appendesse	avesse appeso
1 appendiamo	appendessimo	avessimo appeso
2 appendiate	appendeste	aveste appeso
3 appendano	appendessero	avessero appeso

PASSATO PROSSIMO	abbia appeso *etc*

INFINITIVE	*GERUND*	*PAST PARTICIPLE*
PRESENT	appendendo	appeso
appendere		
PAST		
aver(e) appeso		

18

APRIRE
to open

PRESENT	IMPERFECT	FUTURE
1 apro	aprivo	aprirò
2 apri	aprivi	aprirai
3 apre	apriva	aprirà
1 apriamo	aprivamo	apriremo
2 aprite	aprivate	aprirete
3 aprono	aprivano	apriranno

PASSATO REMOTO	PASSATO PROSSIMO	PLUPERFECT
1 aprii[1]	ho aperto	avevo aperto
2 apristi	hai aperto	avevi aperto
3 aprì	ha aperto	aveva aperto
1 aprimmo	abbiamo aperto	avevamo aperto
2 apriste	avete aperto	avevate aperto
3 aprirono	hanno aperto	avevano aperto

PAST ANTERIOR		FUTURE PERFECT
ebbi aperto *etc*		avrò aperto *etc*

CONDITIONAL		*IMPERATIVE*

PRESENT	PAST	
1 aprirei	avrei aperto	
2 apriresti	avresti aperto	apri
3 aprirebbe	avrebbe aperto	apra
1 apriremmo	avremmo aperto	apriamo
2 aprireste	avreste aperto	aprite
3 aprirebbero	avrebbero aperto	aprano

SUBJUNCTIVE

PRESENT	IMPERFECT	PLUPERFECT
1 apra	aprissi	avessi aperto
2 apra	aprissi	avessi aperto
3 apra	aprisse	avesse aperto
1 apriamo	aprissimo	avessimo aperto
2 apriate	apriste	aveste aperto
3 aprano	aprissero	avessero aperto

PASSATO PROSSIMO	abbia aperto *etc*	

INFINITIVE	*GERUND*	*PAST PARTICIPLE*
PRESENT	aprendo	aperto
aprire		
PAST	**NOTE:** [1] also 'apersi'	
aver(e) aperto		

ARDERE
to burn

PRESENT	IMPERFECT	FUTURE
1 ardo	ardevo	arderò
2 ardi	ardevi	arderai
3 arde	ardeva	arderà
1 ardiamo	ardevamo	arderemo
2 ardete	ardevate	arderete
3 ardono	ardevano	arderanno

PASSATO REMOTO	PASSATO PROSSIMO	PLUPERFECT
1 arsi	ho arso	avevo arso
2 ardesti	hai arso	avevi arso
3 arse	ha arso	aveva arso
1 ardemmo	abbiamo arso	avevamo arso
2 ardeste	avete arso	avevate arso
3 arsero	hanno arso	avevano arso

PAST ANTERIOR	FUTURE PERFECT
ebbi arso *etc*	avrò arso *etc*

CONDITIONAL		*IMPERATIVE*
PRESENT	**PAST**	
1 arderei	avrei arso	
2 arderesti	avresti arso	ardi
3 arderebbe	avrebbe arso	arda
1 arderemmo	avremmo arso	ardiamo
2 ardereste	avreste arso	ardete
3 arderebbero	avrebbero arso	ardano

SUBJUNCTIVE

PRESENT	IMPERFECT	PLUPERFECT
1 arda	ardessi	avessi arso
2 arda	ardessi	avessi arso
3 arda	ardesse	avesse arso
1 ardiamo	ardessimo	avessimo arso
2 ardiate	ardeste	aveste arso
3 ardano	ardessero	avessero arso

PASSATO PROSSIMO	abbia arso *etc*

INFINITIVE	*GERUND*	*PAST PARTICIPLE*
PRESENT	ardendo	arso
ardere		
PAST	**NOTE:** with a direct object 'ardere' takes the auxiliary	
aver(e) arso	'avere'; when used without a direct object the auxiliary may	
	be either 'avere' or 'essere'	

ASCIUGARE
to dry

PRESENT	IMPERFECT	FUTURE
1 asciugo	asciugavo	asciugherò
2 asciughi	asciugavi	asciugherai
3 asciuga	asciugava	asciugherà
1 asciughiamo	asciugavamo	asciugheremo
2 asciugate	asciugavate	asciugherete
3 asciugano	asciugavano	asciugheranno

PASSATO REMOTO	PASSATO PROSSIMO	PLUPERFECT
1 asciugai	ho asciugato	avevo asciugato
2 asciugasti	hai asciugato	avevi asciugato
3 asciugò	ha asciugato	aveva asciugato
1 asciugammo	abbiamo asciugato	avevamo asciugato
2 asciugaste	avete asciugato	avevate asciugato
3 asciugarono	hanno asciugato	avevano asciugato

PAST ANTERIOR	FUTURE PERFECT
ebbi asciugato *etc*	avrò asciugato *etc*

CONDITIONAL		IMPERATIVE

PRESENT	PAST	
1 asciugherei	avrei asciugato	
2 asciugheresti	avresti asciugato	asciuga
3 asciugherebbe	avrebbe asciugato	asciughi
1 asciugheremmo	avremmo asciugato	asciughiamo
2 asciughereste	avreste asciugato	asciugate
3 asciugherebbero	avrebbero asciugato	asciughino

SUBJUNCTIVE

PRESENT	IMPERFECT	PLUPERFECT
1 asciughi	asciugassi	avessi asciugato
2 asciughi	asciugassi	avessi asciugato
3 asciughi	asciugasse	avesse asciugato
1 asciughiamo	asciugassimo	avessimo asciugato
2 asciughiate	asciugaste	aveste asciugato
3 asciughino	asciugassero	avessero asciugato

PASSATO PROSSIMO	abbia asciugato *etc*

INFINITIVE	GERUND	PAST PARTICIPLE
PRESENT	asciugando	asciugato
asciugare		
PAST		
aver(e) asciugato		

ASCOLTARE
to listen to

	PRESENT	IMPERFECT	FUTURE
1	ascolto	ascoltavo	ascolterò
2	ascolti	ascoltavi	ascolterai
3	ascolta	ascoltava	ascolterà
1	ascoltiamo	ascoltavamo	ascolteremo
2	ascoltate	ascoltavate	ascolterete
3	ascoltano	ascoltavano	ascolteranno

	PASSATO REMOTO	PASSATO PROSSIMO	PLUPERFECT
1	ascoltai	ho ascoltato	avevo ascoltato
2	ascoltasti	hai ascoltato	avevi ascoltato
3	ascoltò	ha ascoltato	aveva ascoltato
1	ascoltammo	abbiamo ascoltato	avevamo ascoltato
2	ascoltaste	avete ascoltato	avevate ascoltato
3	ascoltarono	hanno ascoltato	avevano ascoltato

PAST ANTERIOR	FUTURE PERFECT
ebbi ascoltato *etc*	avrò ascoltato *etc*

CONDITIONAL		*IMPERATIVE*

	PRESENT	PAST	
1	ascolterei	avrei ascoltato	
2	ascolteresti	avresti ascoltato	ascolta
3	ascolterebbe	avrebbe ascoltato	ascolti
1	ascolteremmo	avremmo ascoltato	ascoltiamo
2	ascoltereste	avreste ascoltato	ascoltate
3	ascolterebbero	avrebbero ascoltato	ascoltino

SUBJUNCTIVE		

	PRESENT	IMPERFECT	PLUPERFECT
1	ascolti	ascoltassi	avessi ascoltato
2	ascolti	ascoltassi	avessi ascoltato
3	ascolti	ascoltasse	avesse ascoltato
1	ascoltiamo	ascoltassimo	avessimo ascoltato
2	ascoltiate	ascoltaste	aveste ascoltato
3	ascoltino	ascoltassero	avessero ascoltato

PASSATO PROSSIMO	abbia ascoltato *etc*

INFINITIVE	*GERUND*	*PAST PARTICIPLE*
PRESENT	ascoltando	ascoltato
ascoltare		
PAST		
aver(e) ascoltato		

22   ASPETTARE
to wait (for)

PRESENT	IMPERFECT	FUTURE
1 aspetto	aspettavo	aspetterò
2 aspetti	aspettavi	aspetterai
3 aspetta	aspettava	aspetterà
1 aspettiamo	aspettavamo	aspetteremo
2 aspettate	aspettavate	aspetterete
3 aspettano	aspettavano	aspetteranno

PASSATO REMOTO	PASSATO PROSSIMO	PLUPERFECT
1 aspettai	ho aspettato	avevo aspettato
2 aspettasti	hai aspettato	avevi aspettato
3 aspettò	ha aspettato	aveva aspettato
1 aspettammo	abbiamo aspettato	avevamo aspettato
2 aspettaste	avete aspettato	avevate aspettato
3 aspettarono	hanno aspettato	avevano aspettato

PAST ANTERIOR		FUTURE PERFECT
ebbi aspettato *etc*		avrò aspettato *etc*

CONDITIONAL		IMPERATIVE

PRESENT	PAST	
1 aspetterei	avrei aspettato	
2 aspetteresti	avresti aspettato	aspetta
3 aspetterebbe	avrebbe aspettato	aspetti
1 aspetteremmo	avremmo aspettato	aspettiamo
2 aspettereste	avreste aspettato	aspettate
3 aspetterebbero	avrebbero aspettato	aspettino

SUBJUNCTIVE

PRESENT	IMPERFECT	PLUPERFECT
1 aspetti	aspettassi	avessi aspettato
2 aspetti	aspettassi	avessi aspettato
3 aspetti	aspettasse	avesse aspettato
1 aspettiamo	aspettassimo	avessimo aspettato
2 aspettiate	aspettaste	aveste aspettato
3 aspettino	aspettassero	avessero aspettato

PASSATO PROSSIMO	abbia aspettato *etc*	

INFINITIVE	GERUND	PAST PARTICIPLE
PRESENT	aspettando	aspettato
aspettare		
PAST		
aver(e) aspettato		

ASSUMERE

to assume

	PRESENT	IMPERFECT	FUTURE
1	assumo	assumevo	assumerò
2	assumi	assumevi	assumerai
3	assume	assumeva	assumerà
1	assumiamo	assumevamo	assumeremo
2	assumete	assumevate	assumerete
3	assumono	assumevano	assumeranno

	PASSATO REMOTO	PASSATO PROSSIMO	PLUPERFECT
1	assunsi	ho assunto	avevo assunto
2	assumesti	hai assunto	avevi assunto
3	assunse	ha assunto	aveva assunto
1	assumemmo	abbiamo assunto	avevamo assunto
2	assumeste	avete assunto	avevate assunto
3	assunsero	hanno assunto	avevano assunto

PAST ANTERIOR	FUTURE PERFECT
ebbi assunto *etc*	avrò assunto *etc*

CONDITIONAL		*IMPERATIVE*

	PRESENT	PAST	
1	assumerei	avrei assunto	
2	assumeresti	avresti assunto	assumi
3	assumerebbe	avrebbe assunto	assuma
1	assumeremmo	avremmo assunto	assumiamo
2	assumereste	avreste assunto	assumete
3	assumerebbero	avrebbero assunto	assumano

SUBJUNCTIVE

	PRESENT	IMPERFECT	PLUPERFECT
1	assuma	assumessi	avessi assunto
2	assuma	assumessi	avessi assunto
3	assuma	assumesse	avesse assunto
1	assumiamo	assumessimo	avessimo assunto
2	assumiate	assumeste	aveste assunto
3	assumano	assumessero	avessero assunto

PASSATO PROSSIMO	abbia assunto *etc*

INFINITIVE	*GERUND*	*PAST PARTICIPLE*
PRESENT	assumendo	assunto
assumere		
PAST		
aver(e) assunto		

24   **ATTENDERE**
to wait for

PRESENT	IMPERFECT	FUTURE
1 attendo	attendevo	attenderò
2 attendi	attendevi	attenderai
3 attende	attendeva	attenderà
1 attendiamo	attendevamo	attenderemo
2 attendete	attendevate	attenderete
3 attendono	attendevano	attenderanno

PASSATO REMOTO	PASSATO PROSSIMO	PLUPERFECT
1 attesi	ho atteso	avevo atteso
2 attendesti	hai atteso	avevi atteso
3 attese	ha atteso	aveva atteso
1 attendemmo	abbiamo atteso	avevamo atteso
2 attendeste	avete atteso	avevate atteso
3 attesero	hanno atteso	avevano atteso

PAST ANTERIOR		FUTURE PERFECT
ebbi atteso *etc*		avrò atteso *etc*

CONDITIONAL		*IMPERATIVE*

PRESENT	PAST	
1 attenderei	avrei atteso	
2 attenderesti	avresti atteso	attendi
3 attenderebbe	avrebbe atteso	attenda
1 attenderemmo	avremmo atteso	attendiamo
2 attendereste	avreste atteso	attendete
3 attenderebbero	avrebbero atteso	attendano

SUBJUNCTIVE

PRESENT	IMPERFECT	PLUPERFECT
1 attenda	attendessi	avessi atteso
2 attenda	attendessi	avessi atteso
3 attenda	attendesse	avesse atteso
1 attendiamo	attendessimo	avessimo atteso
2 attendiate	attendeste	aveste atteso
3 attendano	attendessero	avessero atteso

PASSATO PROSSIMO	abbia atteso *etc*	

INFINITIVE	*GERUND*	*PAST PARTICIPLE*
PRESENT	attendendo	atteso
attendere		
PAST		
aver(e) atteso		

to cross

	PRESENT	IMPERFECT	FUTURE
1	attraverso	attraversavo	attraverserò
2	attraversi	attraversavi	attraverserai
3	attraversa	attraversava	attraverserà
1	attraversiamo	attraversavamo	attraverseremo
2	attraversate	attraversavate	attraverserete
3	attraversano	attraversavano	attraverseranno

	PASSATO REMOTO	PASSATO PROSSIMO	PLUPERFECT
1	attraversai	ho attraversato	avevo attraversato
2	attraversasti	hai attraversato	avevi attraversato
3	attraversò	ha attraversato	aveva attraversato
1	attraversammo	abbiamo attraversato	avevamo attraversato
2	attraversaste	avete attraversato	avevate attraversato
3	attraversarono	hanno attraversato	avevano attraversato

PAST ANTERIOR	FUTURE PERFECT
ebbi attraversato *etc*	avrò attraversato *etc*

CONDITIONAL		*IMPERATIVE*

	PRESENT	PAST	
1	attraverserei	avrei attraversato	
2	attraverseresti	avresti attraversato	attraversa
3	attraverserebbe	avrebbe attraversato	attraversi
1	attraverseremmo	avremmo attraversato	attraversiamo
2	attraversereste	avreste attraversato	attraversate
3	attraverserebbero	avrebbero attraversato	attraversino

SUBJUNCTIVE		

	PRESENT	IMPERFECT	PLUPERFECT
1	attraversi	attraversassi	avessi attraversato
2	attraversi	attraversassi	avessi attraversato
3	attraversi	attraversasse	avesse attraversato
1	attraversiamo	attraversassimo	avessimo attraversato
2	attraversiate	attraversaste	aveste attraversato
3	attraversino	attraversassero	avessero attraversato

PASSATO PROSSIMO	abbia attraversato *etc*

INFINITIVE	*GERUND*	*PAST PARTICIPLE*
PRESENT	attraversando	attraversato
attraversare		
PAST		
aver(e) attraversato		

26 AUMENTARE
to increase

PRESENT	IMPERFECT	FUTURE
1 aumento	aumentavo	aumenterò
2 aumenti	aumentavi	aumenterai
3 aumenta	aumentava	aumenterà
1 aumentiamo	aumentavamo	aumenteremo
2 aumentate	aumentavate	aumenterete
3 aumentano	aumentavano	aumenteranno

PASSATO REMOTO	PASSATO PROSSIMO	PLUPERFECT
1 aumentai	ho aumentato	avevo aumentato
2 aumentasti	hai aumentato	avevi aumentato
3 aumentò	ha aumentato	aveva aumentato
1 aumentammo	abbiamo aumentato	avevamo aumentato
2 aumentaste	avete aumentato	avevate aumentato
3 aumentarono	hanno aumentato	avevano aumentato

PAST ANTERIOR		FUTURE PERFECT
ebbi aumentato *etc*		avrò aumentato *etc*

CONDITIONAL		*IMPERATIVE*

PRESENT	PAST	
1 aumenterei	avrei aumentato	
2 aumenteresti	avresti aumentato	aumenta
3 aumenterebbe	avrebbe aumentato	aumenti
1 aumenteremmo	avremmo aumentato	aumentiamo
2 aumentereste	avreste aumentato	aumentate
3 aumenterebbero	avrebbero aumentato	aumentino

SUBJUNCTIVE

PRESENT	IMPERFECT	PLUPERFECT
1 aumenti	aumentassi	avessi aumentato
2 aumenti	aumentassi	avessi aumentato
3 aumenti	aumentasse	avesse aumentato
1 aumentiamo	aumentassimo	avessimo aumentato
2 aumentiate	aumentaste	aveste aumentato
3 aumentino	aumentassero	avessero aumentato

PASSATO PROSSIMO	abbia aumentato *etc*

INFINITIVE	*GERUND*	*PAST PARTICIPLE*
PRESENT	aumentando	aumentato
aumentare		
PAST		
aver(e) aumentato		

PRESENT	IMPERFECT	FUTURE
1 ho	avevo	avrò
2 hai	avevi	avrai
3 ha	aveva	avrà
1 abbiamo	avevamo	avremo
2 avete	avevate	avrete
3 hanno	avevano	avranno

PASSATO REMOTO	PASSATO PROSSIMO	PLUPERFECT
1 ebbi	ho avuto	avevo avuto
2 avesti	hai avuto	avevi avuto
3 ebbe	ha avuto	aveva avuto
1 avemmo	abbiamo avuto	avevamo avuto
2 aveste	avete avuto	avevate avuto
3 ebbero	hanno avuto	avevano avuto

PAST ANTERIOR		FUTURE PERFECT
ebbi avuto *etc*		avrò avuto *etc*

CONDITIONAL		*IMPERATIVE*

PRESENT	PAST	
1 avrei	avrei avuto	
2 avresti	avresti avuto	abbi
3 avrebbe	avrebbe avuto	abbia
1 avremmo	avremmo avuto	abbiamo
2 avreste	avreste avuto	abbiate
3 avrebbero	avrebbero avuto	abbiano

SUBJUNCTIVE		

PRESENT	IMPERFECT	PLUPERFECT
1 abbia	avessi	avessi avuto
2 abbia	avessi	avessi avuto
3 abbia	avesse	avesse avuto
1 abbiamo	avessimo	avessimo avuto
2 abbiate	aveste	aveste avuto
3 abbiano	avessero	avessero avuto

PASSATO PROSSIMO	abbia avuto *etc*	

INFINITIVE	*GERUND*	*PAST PARTICIPLE*
PRESENT	avendo	avuto
avere		
PAST		
aver(e) avuto		

BACIARE
to kiss

PRESENT	IMPERFECT	FUTURE
1 bacio	baciavo	bacerò
2 baci	baciavi	bacerai
3 bacia	baciava	bacerà
1 baciamo	baciavamo	baceremo
2 baciate	baciavate	bacerete
3 baciano	baciavano	baceranno

PASSATO REMOTO	PASSATO PROSSIMO	PLUPERFECT
1 baciai	ho baciato	avevo baciato
2 baciasti	hai baciato	avevi baciato
3 baciò	ha baciato	aveva baciato
1 baciammo	abbiamo baciato	avevamo baciato
2 baciaste	avete baciato	avevate baciato
3 baciarono	hanno baciato	avevano baciato

PAST ANTERIOR	FUTURE PERFECT
ebbi baciato *etc*	avrò baciato *etc*

CONDITIONAL		*IMPERATIVE*
PRESENT	**PAST**	
1 bacerei	avrei baciato	
2 baceresti	avresti baciato	bacia
3 bacerebbe	avrebbe baciato	baci
1 baceremmo	avremmo baciato	baciamo
2 bacereste	avreste baciato	baciate
3 bacerebbero	avrebbero baciato	bacino

SUBJUNCTIVE

PRESENT	IMPERFECT	PLUPERFECT
1 baci	baciassi	avessi baciato
2 baci	baciassi	avessi baciato
3 baci	baciasse	avesse baciato
1 baciamo	baciassimo	avessimo baciato
2 baciate	baciaste	aveste baciato
3 bacino	baciassero	avessero baciato

PASSATO PROSSIMO	abbia baciato *etc*

INFINITIVE	*GERUND*	*PAST PARTICIPLE*
PRESENT	baciando	baciato
baciare		
PAST		
aver(e) baciato		

BADARE
to look after

	PRESENT	IMPERFECT	FUTURE
1	bado	badavo	baderò
2	badi	badavi	baderai
3	bada	badava	baderà
1	badiamo	badavamo	baderemo
2	badate	badavate	baderete
3	badano	badavano	baderanno

	PASSATO REMOTO	PASSATO PROSSIMO	PLUPERFECT
1	badai	ho badato	avevo badato
2	badasti	hai badato	avevi badato
3	badò	ha badato	aveva badato
1	badammo	abbiamo badato	avevamo badato
2	badaste	avete badato	avevate badato
3	badarono	hanno badato	avevano badato

PAST ANTERIOR	FUTURE PERFECT
ebbi badato *etc*	avrò badato *etc*

CONDITIONAL		IMPERATIVE

	PRESENT	PAST	
1	baderei	avrei badato	
2	baderesti	avresti badato	bada
3	baderebbe	avrebbe badato	badi
1	baderemmo	avremmo badato	badiamo
2	badereste	avreste badato	badate
3	baderebbero	avrebbero badato	badino

SUBJUNCTIVE

	PRESENT	IMPERFECT	PLUPERFECT
1	badi	badassi	avessi badato
2	badi	badassi	avessi badato
3	badi	badasse	avesse badato
1	badiamo	badassimo	avessimo badato
2	badiate	badaste	aveste badato
3	badino	badassero	avessero badato

PASSATO PROSSIMO	abbia badato *etc*

INFINITIVE	GERUND	PAST PARTICIPLE
PRESENT	badando	badato
badare		
PAST		
aver(e) badato		

30 BERE
to drink

PRESENT	IMPERFECT	FUTURE
1 bevo	bevevo	berrò
2 bevi	bevevi	berrai
3 beve	beveva	berrà
1 beviamo	bevevamo	berremo
2 bevete	bevevate	berrete
3 bevono	bevevano	berranno

PASSATO REMOTO	PASSATO PROSSIMO	PLUPERFECT
1 bevvi/bevetti	ho bevuto	avevo bevuto
2 bevesti	hai bevuto	avevi bevuto
3 bevve/bevette	ha bevuto	aveva bevuto
1 bevemmo	abbiamo bevuto	avevamo bevuto
2 beveste	avete bevuto	avevate bevuto
3 bevvero/bevettero	hanno bevuto	avevano bevuto

PAST ANTERIOR		FUTURE PERFECT
ebbi bevuto *etc*		avrò bevuto *etc*

CONDITIONAL		IMPERATIVE

PRESENT	PAST	
1 berrei	avrei bevuto	
2 berresti	avresti bevuto	bevi
3 berrebbe	avrebbe bevuto	beva
1 berremmo	avremmo bevuto	beviamo
2 berreste	avreste bevuto	bevete
3 berrebbero	avrebbero bevuto	bevano

SUBJUNCTIVE

PRESENT	IMPERFECT	PLUPERFECT
1 beva	bevessi	avessi bevuto
2 beva	bevessi	avessi bevuto
3 beva	bevesse	avesse bevuto
1 beviamo	bevessimo	avessimo bevuto
2 beviate	beveste	aveste bevuto
3 bevano	bevessero	avessero bevuto

PASSATO PROSSIMO	abbia bevuto *etc*

INFINITIVE	GERUND	PAST PARTICIPLE
PRESENT	bevendo	bevuto
bere		
PAST		
aver(e) bevuto		

BOLLIRE
to boil

	PRESENT	IMPERFECT	FUTURE
1	bollo	bollivo	bollirò
2	bolli	bollivi	bollirai
3	bolle	bolliva	bollirà
1	bolliamo	bollivamo	bolliremo
2	bollite	bollivate	bollirete
3	bollono	bollivano	bolliranno

	PASSATO REMOTO	PASSATO PROSSIMO	PLUPERFECT
1	bollii	ho bollito	avevo bollito
2	bollisti	hai bollito	avevi bollito
3	bollì	ha bollito	aveva bollito
1	bollimmo	abbiamo bollito	avevamo bollito
2	bolliste	avete bollito	avevate bollito
3	bollirono	hanno bollito	avevano bollito

PAST ANTERIOR	FUTURE PERFECT
ebbi bollito *etc*	avrò bollito *etc*

	CONDITIONAL		IMPERATIVE
	PRESENT	PAST	
1	bollirei	avrei bollito	
2	bolliresti	avresti bollito	bolli
3	bollirebbe	avrebbe bollito	bolla
1	bolliremmo	avremmo bollito	bolliamo
2	bollireste	avreste bollito	bollite
3	bollirebbero	avrebbero bollito	bollano

SUBJUNCTIVE

	PRESENT	IMPERFECT	PLUPERFECT
1	bolla	bollissi	avessi bollito
2	bolla	bollissi	avessi bollito
3	bolla	bollisse	avesse bollito
1	bolliamo	bollissimo	avessimo bollito
2	bolliate	bolliste	aveste bollito
3	bollano	bollissero	avessero bollito

PASSATO PROSSIMO	abbia bollito *etc*

INFINITIVE	GERUND	PAST PARTICIPLE
PRESENT	bollendo	bollito
bollire		
PAST		
aver(e) bollito		

BRUCIARE
to burn

PRESENT	IMPERFECT	FUTURE
1 brucio	bruciavo	brucerò
2 bruci	bruciavi	brucerai
3 brucia	bruciava	brucerà
1 bruciamo	bruciavamo	bruceremo
2 bruciate	bruciavate	brucerete
3 bruciano	bruciavano	bruceranno

PASSATO REMOTO	PASSATO PROSSIMO	PLUPERFECT
1 bruciai	ho bruciato	avevo bruciato
2 bruciasti	hai bruciato	avevi bruciato
3 bruciò	ha bruciato	aveva bruciato
1 bruciammo	abbiamo bruciato	avevamo bruciato
2 bruciaste	avete bruciato	avevate bruciato
3 bruciarono	hanno bruciato	avevano bruciato

PAST ANTERIOR	FUTURE PERFECT
ebbi bruciato *etc*	avrò bruciato *etc*

CONDITIONAL		IMPERATIVE

PRESENT	PAST	
1 brucerei	avrei bruciato	
2 bruceresti	avresti bruciato	brucia
3 brucerebbe	avrebbe bruciato	bruci
1 bruceremmo	avremmo bruciato	bruciamo
2 brucereste	avreste bruciato	bruciate
3 brucerebbero	avrebbero bruciato	brucino

SUBJUNCTIVE

PRESENT	IMPERFECT	PLUPERFECT
1 bruci	bruciassi	avessi bruciato
2 bruci	bruciassi	avessi bruciato
3 bruci	bruciasse	avesse bruciato
1 bruciamo	bruciassimo	avessimo bruciato
2 bruciate	bruciaste	aveste bruciato
3 brucino	bruciassero	avessero bruciato

PASSATO PROSSIMO	abbia bruciato *etc*

INFINITIVE	GERUND	PAST PARTICIPLE
PRESENT	bruciando	bruciato
bruciare		
PAST		
aver(e) bruciato		

	PRESENT	**IMPERFECT**	**FUTURE**
1	cado	cadevo	cadrò
2	cadi	cadevi	cadrai
3	cade	cadeva	cadrà
1	cadiamo	cadevamo	cadremo
2	cadete	cadevate	cadrete
3	cadono	cadevano	cadranno

	PASSATO REMOTO	**PASSATO PROSSIMO**	**PLUPERFECT**
1	caddi	sono caduto/a	ero caduto/a
2	cadesti	sei caduto/a	eri caduto/a
3	cadde	è caduto/a	era caduto/a
1	cademmo	siamo caduti/e	eravamo caduti/e
2	cadeste	siete caduti/e	eravate caduti/e
3	caddero	sono caduti/e	erano caduti/e

PAST ANTERIOR	**FUTURE PERFECT**
fui caduto/a *etc*	sarò caduto/a *etc*

CONDITIONAL		*IMPERATIVE*

	PRESENT	**PAST**	
1	cadrei	sarei caduto/a	
2	cadresti	saresti caduto/a	cadi
3	cadrebbe	sarebbe caduto/a	cada
1	cadremmo	saremmo caduti/e	cadiamo
2	cadreste	sareste caduti/e	cadete
3	cadrebbero	sarebbero caduti/e	cadano

SUBJUNCTIVE

	PRESENT	**IMPERFECT**	**PLUPERFECT**
1	cada	cadessi	fossi caduto/a
2	cada	cadessi	fossi caduto/a
3	cada	cadesse	fosse caduto/a
1	cadiamo	cadessimo	fossimo caduti/e
2	cadiate	cadeste	foste caduti/e
3	cadano	cadessero	fossero caduti/e

PASSATO PROSSIMO
sia caduto/a *etc*

INFINITIVE	*GERUND*	*PAST PARTICIPLE*
PRESENT	cadendo	caduto/a/i/e
cadere		
PAST		
esser(e) caduto/a/i/e		

34

CAMBIARE
to change

PRESENT	IMPERFECT	FUTURE
1 cambio	cambiavo	cambierò
2 cambi	cambiavi	cambierai
3 cambia	cambiava	cambierà
1 cambiamo	cambiavamo	cambieremo
2 cambiate	cambiavate	cambierete
3 cambiano	cambiavano	cambieranno

PASSATO REMOTO	PASSATO PROSSIMO	PLUPERFECT
1 cambiai	ho cambiato	avevo cambiato
2 cambiasti	hai cambiato	avevi cambiato
3 cambiò	ha cambiato	aveva cambiato
1 cambiammo	abbiamo cambiato	avevamo cambiato
2 cambiaste	avete cambiato	avevate cambiato
3 cambiarono	hanno cambiato	avevano cambiato

PAST ANTERIOR	FUTURE PERFECT
ebbi cambiato *etc*	avrò cambiato *etc*

CONDITIONAL		IMPERATIVE

PRESENT	PAST	
1 cambierei	avrei cambiato	
2 cambieresti	avresti cambiato	cambia
3 cambierebbe	avrebbe cambiato	cambi
1 cambieremmo	avremmo cambiato	cambiamo
2 cambiereste	avreste cambiato	cambiate
3 cambierebbero	avrebbero cambiato	cambino

SUBJUNCTIVE

PRESENT	IMPERFECT	PLUPERFECT
1 cambi	cambiassi	avessi cambiato
2 cambi	cambiassi	avessi cambiato
3 cambi	cambiasse	avesse cambiato
1 cambiamo	cambiassimo	avessimo cambiato
2 cambiate	cambiaste	aveste cambiato
3 cambino	cambiassero	avessero cambiato

PASSATO PROSSIMO	abbia cambiato *etc*

INFINITIVE	GERUND	PAST PARTICIPLE
PRESENT	cambiando	cambiato
cambiare		
PAST		
aver(e) cambiato		

CAMMINARE
to walk

PRESENT	IMPERFECT	FUTURE
1 cammino	camminavo	camminerò
2 cammini	camminavi	camminerai
3 cammina	camminava	camminerà
1 camminiamo	camminavamo	cammineremo
2 camminate	camminavate	camminerete
3 camminano	camminavano	cammineranno

PASSATO REMOTO	PASSATO PROSSIMO	PLUPERFECT
1 camminai	ho camminato	avevo camminato
2 camminasti	hai camminato	avevi camminato
3 camminò	ha camminato	aveva camminato
1 camminammo	abbiamo camminato	avevamo camminato
2 camminaste	avete camminato	avevate camminato
3 camminarono	hanno camminato	avevano camminato

PAST ANTERIOR		FUTURE PERFECT
ebbi camminato *etc*		avrò camminato *etc*

CONDITIONAL		IMPERATIVE

PRESENT	PAST	
1 camminerei	avrei camminato	
2 cammineresti	avresti camminato	cammina
3 camminerebbe	avrebbe camminato	cammini
1 cammineremmo	avremmo camminato	camminiamo
2 camminereste	avreste camminato	camminate
3 camminerebbero	avrebbero camminato	camminino

SUBJUNCTIVE

PRESENT	IMPERFECT	PLUPERFECT
1 cammini	camminassi	avessi camminato
2 cammini	camminassi	avessi camminato
3 cammini	camminasse	avesse camminato
1 camminiamo	camminassimo	avessimo camminato
2 camminiate	camminaste	aveste camminato
3 camminino	camminassero	avessero camminato

PASSATO PROSSIMO	abbia camminato *etc*

INFINITIVE	GERUND	PAST PARTICIPLE
PRESENT	camminando	camminato
camminare		
PAST		
aver(e) camminato		

36

CAPIRE
to understand

PRESENT	IMPERFECT	FUTURE
1 capisco	capivo	capirò
2 capisci	capivi	capirai
3 capisce	capiva	capirà
1 capiamo	capivamo	capiremo
2 capite	capivate	capirete
3 capiscono	capivano	capiranno

PASSATO REMOTO	PASSATO PROSSIMO	PLUPERFECT
1 capii	ho capito	avevo capito
2 capisti	hai capito	avevi capito
3 capì	ha capito	aveva capito
1 capimmo	abbiamo capito	avevamo capito
2 capiste	avete capito	avevate capito
3 capirono	hanno capito	avevano capito

PAST ANTERIOR		FUTURE PERFECT
ebbi capito *etc*		avrò capito *etc*

CONDITIONAL		*IMPERATIVE*
PRESENT	**PAST**	
1 capirei	avrei capito	
2 capiresti	avresti capito	capisci
3 capirebbe	avrebbe capito	capisca
1 capiremmo	avremmo capito	capiamo
2 capireste	avreste capito	capite
3 capirebbero	avrebbero capito	capiscano

SUBJUNCTIVE

PRESENT	IMPERFECT	PLUPERFECT
1 capisca	capissi	avessi capito
2 capisca	capissi	avessi capito
3 capisca	capisse	avesse capito
1 capiamo	capissimo	avessimo capito
2 capiate	capiste	aveste capito
3 capiscano	capissero	avessero capito

PASSATO PROSSIMO	abbia capito *etc*

INFINITIVE	*GERUND*	*PAST PARTICIPLE*
PRESENT	capendo	capito
capire		
PAST		
aver(e) capito		

CENARE
to dine, have dinner

PRESENT	IMPERFECT	FUTURE
1 ceno	cenavo	cenerò
2 ceni	cenavi	cenerai
3 cena	cenava	cenerà
1 ceniamo	cenavamo	ceneremo
2 cenate	cenavate	cenerete
3 cenano	cenavano	ceneranno

PASSATO REMOTO	PASSATO PROSSIMO	PLUPERFECT
1 cenai	ho cenato	avevo cenato
2 cenasti	hai cenato	avevi cenato
3 cenò	ha cenato	aveva cenato
1 cenammo	abbiamo cenato	avevamo cenato
2 cenaste	avete cenato	avevate cenato
3 cenarono	hanno cenato	avevano cenato

PAST ANTERIOR	FUTURE PERFECT
ebbi cenato *etc*	avrò cenato *etc*

CONDITIONAL		IMPERATIVE

PRESENT	PAST	
1 cenerei	avrei cenato	
2 ceneresti	avresti cenato	cena
3 cenerebbe	avrebbe cenato	ceni
1 ceneremmo	avremmo cenato	ceniamo
2 cenereste	avreste cenato	cenate
3 cenerebbero	avrebbero cenato	cenino

SUBJUNCTIVE

PRESENT	IMPERFECT	PLUPERFECT
1 ceni	cenassi	avessi cenato
2 ceni	cenassi	avessi cenato
3 ceni	cenasse	avesse cenato
1 ceniamo	cenassimo	avessimo cenato
2 ceniate	cenaste	aveste cenato
3 cenino	cenassero	avessero cenato

PASSATO PROSSIMO	abbia cenato *etc*

INFINITIVE	GERUND	PAST PARTICIPLE
PRESENT	cenando	cenato
cenare		
PAST		
aver(e) cenato		

38

CERCARE
to look for, search, seek

PRESENT	IMPERFECT	FUTURE
1 cerco	cercavo	cercherò
2 cerchi	cercavi	cercherai
3 cerca	cercava	cercherà
1 cerchiamo	cercavamo	cercheremo
2 cercate	cercavate	cercherete
3 cercano	cercavano	cercheranno

PASSATO REMOTO	PASSATO PROSSIMO	PLUPERFECT
1 cercai	ho cercato	avevo cercato
2 cercasti	hai cercato	avevi cercato
3 cercò	ha cercato	aveva cercato
1 cercammo	abbiamo cercato	avevamo cercato
2 cercaste	avete cercato	avevate cercato
3 cercarono	hanno cercato	avevano cercato

PAST ANTERIOR		FUTURE PERFECT
ebbi cercato *etc*		avrò cercato *etc*

CONDITIONAL		*IMPERATIVE*

PRESENT	PAST	
1 cercherei	avrei cercato	
2 cercheresti	avresti cercato	
3 cercherebbe	avrebbe cercato	cerca
1 cercheremmo	avremmo cercato	cerchi
2 cerchereste	avreste cercato	cerchiamo
3 cercherebbero	avrebbero cercato	cercate
		cerchino

SUBJUNCTIVE

PRESENT	IMPERFECT	PLUPERFECT
1 cerchi	cercassi	avessi cercato
2 cerchi	cercassi	avessi cercato
3 cerchi	cercasse	avesse cercato
1 cerchiamo	cercassimo	avessimo cercato
2 cerchiate	cercaste	aveste cercato
3 cerchino	cercassero	avessero cercato

PASSATO PROSSIMO	abbia cercato *etc*

INFINITIVE	*GERUND*	*PAST PARTICIPLE*
PRESENT	cercando	cercato
cercare		
PAST		
aver(e) cercato		

CHIAMARE
to call

	PRESENT	IMPERFECT	FUTURE
1	chiamo	chiamavo	chiamerò
2	chiami	chiamavi	chiamerai
3	chiama	chiamava	chiamerà
1	chiamiamo	chiamavamo	chiameremo
2	chiamate	chiamavate	chiamerete
3	chiamano	chiamavano	chiameranno

	PASSATO REMOTO	PASSATO PROSSIMO	PLUPERFECT
1	chiamai	ho chiamato	avevo chiamato
2	chiamasti	hai chiamato	avevi chiamato
3	chiamò	ha chiamato	aveva chiamato
1	chiamammo	abbiamo chiamato	avevamo chiamato
2	chiamaste	avete chiamato	avevate chiamato
3	chiamarono	hanno chiamato	avevano chiamato

PAST ANTERIOR	FUTURE PERFECT
ebbi chiamato *etc*	avrò chiamato *etc*

CONDITIONAL		IMPERATIVE

	PRESENT	PAST	
1	chiamerei	avrei chiamato	
2	chiameresti	avresti chiamato	chiama
3	chiamerebbe	avrebbe chiamato	chiami
1	chiameremmo	avremmo chiamato	chiamiamo
2	chiamereste	avreste chiamato	chiamate
3	chiamerebbero	avrebbero chiamato	chiamino

SUBJUNCTIVE

	PRESENT	IMPERFECT	PLUPERFECT
1	chiami	chiamassi	avessi chiamato
2	chiami	chiamassi	avessi chiamato
3	chiami	chiamasse	avesse chiamato
1	chiamiamo	chiamassimo	avessimo chiamato
2	chiamiate	chiamaste	aveste chiamato
3	chiamino	chiamassero	avessero chiamato

PASSATO PROSSIMO	abbia chiamato *etc*

INFINITIVE	GERUND	PAST PARTICIPLE
PRESENT	chiamando	chiamato
chiamare		
PAST		
aver(e) chiamato		

40   CHIEDERE
to ask

PRESENT	IMPERFECT	FUTURE
1 chiedo	chiedevo	chiederò
2 chiedi	chiedevi	chiederai
3 chiede	chiedeva	chiederà
1 chiediamo	chiedevamo	chiederemo
2 chiedete	chiedevate	chiederete
3 chiedono	chiedevano	chiederanno

PASSATO REMOTO	PASSATO PROSSIMO	PLUPERFECT
1 chiesi	ho chiesto	avevo chiesto
2 chiedesti	hai chiesto	avevi chiesto
3 chiese	ha chiesto	aveva chiesto
1 chiedemmo	abbiamo chiesto	avevamo chiesto
2 chiedeste	avete chiesto	avevate chiesto
3 chiesero	hanno chiesto	avevano chiesto

PAST ANTERIOR	FUTURE PERFECT
ebbi chiesto *etc*	avrò chiesto *etc*

CONDITIONAL		IMPERATIVE

PRESENT	PAST	
1 chiederei	avrei chiesto	
2 chiederesti	avresti chiesto	chiedi
3 chiederebbe	avrebbe chiesto	chieda
1 chiederemmo	avremmo chiesto	chiediamo
2 chiedereste	avreste chiesto	chiedete
3 chiederebbero	avrebbero chiesto	chiedano

SUBJUNCTIVE

PRESENT	IMPERFECT	PLUPERFECT
1 chieda	chiedessi	avessi chiesto
2 chieda	chiedessi	avessi chiesto
3 chieda	chiedesse	avesse chiesto
1 chiediamo	chiedessimo	avessimo chiesto
2 chiediate	chiedeste	aveste chiesto
3 chiedano	chiedessero	avessero chiesto

PASSATO PROSSIMO	abbia chiesto *etc*

INFINITIVE	GERUND	PAST PARTICIPLE
PRESENT	chiedendo	chiesto
chiedere		
PAST		
aver(e) chiesto		

CHIUDERE
to close

PRESENT	IMPERFECT	FUTURE
1 chiudo	chiudevo	chiuderò
2 chiudi	chiudevi	chiuderai
3 chiude	chiudeva	chiuderà
1 chiudiamo	chiudevamo	chiuderemo
2 chiudete	chiudevate	chiuderete
3 chiudono	chiudevano	chiuderanno

PASSATO REMOTO	PASSATO PROSSIMO	PLUPERFECT
1 chiusi	ho chiuso	avevo chiuso
2 chiudesti	hai chiuso	avevi chiuso
3 chiuse	ha chiuso	aveva chiuso
1 chiudemmo	abbiamo chiuso	avevamo chiuso
2 chiudeste	avete chiuso	avevate chiuso
3 chiusero	hanno chiuso	avevano chiuso

PAST ANTERIOR	FUTURE PERFECT
ebbi chiuso *etc*	avrò chiuso *etc*

CONDITIONAL		*IMPERATIVE*

PRESENT	PAST	
1 chiuderei	avrei chiuso	
2 chiuderesti	avresti chiuso	chiudi
3 chiuderebbe	avrebbe chiuso	chiuda
1 chiuderemmo	avremmo chiuso	chiudiamo
2 chiudereste	avreste chiuso	chiudete
3 chiuderebbero	avrebbero chiuso	chiudano

SUBJUNCTIVE

PRESENT	IMPERFECT	PLUPERFECT
1 chiuda	chiudessi	avessi chiuso
2 chiuda	chiudessi	avessi chiuso
3 chiuda	chiudesse	avesse chiuso
1 chiudiamo	chiudessimo	avessimo chiuso
2 chiudiate	chiudeste	aveste chiuso
3 chiudano	chiudessero	avessero chiuso

PASSATO PROSSIMO	abbia chiuso *etc*

INFINITIVE	*GERUND*	*PAST PARTICIPLE*
PRESENT	chiudendo	chiuso
chiudere		
PAST		
aver(e) chiuso		

42

COGLIERE
to pick, pluck, gather, grasp

PRESENT	IMPERFECT	FUTURE
1 colgo	coglievo	coglierò
2 cogli	coglievi	coglierai
3 coglie	coglieva	coglierà
1 cogliamo	coglievamo	coglieremo
2 cogliete	coglievate	coglierete
3 colgono	coglievano	coglieranno

PASSATO REMOTO	PASSATO PROSSIMO	PLUPERFECT
1 colsi	ho colto	avevo colto
2 cogliesti	hai colto	avevi colto
3 colse	ha colto	aveva colto
1 cogliemmo	abbiamo colto	avevamo colto
2 coglieste	avete colto	avevate colto
3 colsero	hanno colto	avevano colto

PAST ANTERIOR		FUTURE PERFECT
ebbi colto *etc*		avrò colto *etc*

CONDITIONAL		IMPERATIVE

PRESENT	PAST	
1 coglierei	avrei colto	
2 coglieresti	avresti colto	cogli
3 coglierebbe	avrebbe colto	colga
1 coglieremmo	avremmo colto	cogliamo
2 cogliereste	avreste colto	cogliete
3 coglierebbero	avrebbero colto	colgano

SUBJUNCTIVE

PRESENT	IMPERFECT	PLUPERFECT
1 colga	cogliessi	avessi colto
2 colga	cogliessi	avessi colto
3 colga	cogliesse	avesse colto
1 cogliamo	cogliessimo	avessimo colto
2 cogliate	coglieste	aveste colto
3 colgano	cogliessero	avessero colto

PASSATO PROSSIMO	abbia colto *etc*

INFINITIVE	GERUND	PAST PARTICIPLE
PRESENT	cogliendo	colto
cogliere		
PAST		
aver(e) colto		

COINCIDERE
to coincide

	PRESENT	IMPERFECT	FUTURE
1	coincido	coincidevo	coinciderò
2	coincidi	coincidevi	coinciderai
3	coincide	coincideva	coinciderà
1	coincidiamo	coincidevamo	coincideremo
2	coincidete	coincidevate	coinciderete
3	coincidono	coincidevano	coincideranno

	PASSATO REMOTO	PASSATO PROSSIMO	PLUPERFECT
1	coincisi	ho coinciso	avevo coinciso
2	coincidesti	hai coinciso	avevi coinciso
3	coincise	ha coinciso	aveva coinciso
1	coincidemmo	abbiamo coinciso	avevamo coinciso
2	coincideste	avete coinciso	avevate coinciso
3	coincisero	hanno coinciso	avevano coinciso

PAST ANTERIOR	FUTURE PERFECT
ebbi coinciso *etc*	avrò coinciso *etc*

CONDITIONAL		*IMPERATIVE*

	PRESENT	PAST	
1	coinciderei	avrei coinciso	
2	coincideresti	avresti coinciso	coincidi
3	coinciderebbe	avrebbe coinciso	coincida
1	coincideremmo	avremmo coinciso	coincidiamo
2	coincidereste	avreste coinciso	coincidete
3	coinciderebbero	avrebbero coinciso	coincidano

SUBJUNCTIVE

	PRESENT	IMPERFECT	PLUPERFECT
1	coincida	coincidessi	avessi coinciso
2	coincida	coincidessi	avessi coinciso
3	coincida	coincidesse	avesse coinciso
1	coincidiamo	coincidessimo	avessimo coinciso
2	coincidiate	coincideste	aveste coinciso
3	coincidano	coincidessero	avessero coinciso

PASSATO PROSSIMO	abbia coinciso *etc*

INFINITIVE	*GERUND*	*PAST PARTICIPLE*
PRESENT	coincidendo	coinciso
coincidere		
PAST		
aver(e) coinciso		

44

COLPIRE
to hit

PRESENT	IMPERFECT	FUTURE
1 colpisco	colpivo	colpirò
2 colpisci	colpivi	colpirai
3 colpisce	colpiva	colpirà
1 colpiamo	colpivamo	colpiremo
2 colpite	colpivate	colpirete
3 colpiscono	colpivano	colpiranno

PASSATO REMOTO	PASSATO PROSSIMO	PLUPERFECT
1 colpii	ho colpito	avevo colpito
2 colpisti	hai colpito	avevi colpito
3 colpì	ha colpito	aveva colpito
1 colpimmo	abbiamo colpito	avevamo colpito
2 colpiste	avete colpito	avevate colpito
3 colpirono	hanno colpito	avevano colpito

PAST ANTERIOR	FUTURE PERFECT
ebbi colpito *etc*	avrò colpito *etc*

CONDITIONAL

IMPERATIVE

PRESENT	PAST	
1 colpirei	avrei colpito	
2 colpiresti	avresti colpito	colpisci
3 colpirebbe	avrebbe colpito	colpisca
1 colpiremmo	avremmo colpito	colpiamo
2 colpireste	avreste colpito	colpite
3 colpirebbero	avrebbero colpito	colpiscano

SUBJUNCTIVE

PRESENT	IMPERFECT	PLUPERFECT
1 colpisca	colpissi	avessi colpito
2 colpisca	colpissi	avessi colpito
3 colpisca	colpisse	avesse colpito
1 colpiamo	colpissimo	avessimo colpito
2 colpiate	colpiste	aveste colpito
3 colpiscano	colpissero	avessero colpito

PASSATO PROSSIMO	abbia colpito *etc*

INFINITIVE	GERUND	PAST PARTICIPLE
PRESENT	colpendo	colpito
colpire		
PAST		
aver(e) colpito		

COMINCIARE
to start

PRESENT	IMPERFECT	FUTURE
1 comincio	cominciavo	comincerò
2 cominci	cominciavi	comincerai
3 comincia	cominciava	comincerà
1 cominciamo	cominciavamo	cominceremo
2 cominciate	cominciavate	comincerete
3 cominciano	cominciavano	cominceranno

PASSATO REMOTO	PASSATO PROSSIMO	PLUPERFECT
1 cominciai	ho cominciato	avevo cominciato
2 cominciasti	hai cominciato	avevi cominciato
3 cominciò	ha cominciato	aveva cominciato
1 cominciammo	abbiamo cominciato	avevamo cominciato
2 cominciaste	avete cominciato	avevate cominciato
3 cominciarono	hanno cominciato	avevano cominciato

PAST ANTERIOR	FUTURE PERFECT
ebbi cominciato *etc*	avrò cominciato *etc*

CONDITIONAL		*IMPERATIVE*

PRESENT	PAST	
1 comincerei	avrei cominciato	
2 cominceresti	avresti cominciato	comincia
3 comincerebbe	avrebbe cominciato	cominci
1 cominceremmo	avremmo cominciato	cominciamo
2 comincereste	avreste cominciato	cominciate
3 comincerebbero	avrebbero cominciato	comincino

SUBJUNCTIVE

PRESENT	IMPERFECT	PLUPERFECT
1 cominci	cominciassi	avessi cominciato
2 cominci	cominciassi	avessi cominciato
3 cominci	cominciasse	avesse cominciato
1 cominciamo	cominciassimo	avessimo cominciato
2 cominciate	cominciaste	aveste cominciato
3 comincino	cominciassero	avessero cominciato

PASSATO PROSSIMO	abbia cominciato *etc*

INFINITIVE	*GERUND*	*PAST PARTICIPLE*
PRESENT	cominciando	cominciato
cominciare		
PAST		
aver(e) cominciato		

46

COMPARIRE
to appear

PRESENT	IMPERFECT	FUTURE
1 compaio/comparisco	comparivo	comparirò
2 compari/comparisci	comparivi	comparirai
3 compare/comparisce	compariva	comparirà
1 compariamo	comparivamo	compariremo
2 comparite	comparivate	comparirete
3 compaiono/compariscono	comparivano	compariranno

PASSATO REMOTO	PASSATO PROSSIMO	PLUPERFECT
1 comparvi/comparii	sono comparso/a	ero comparso/a
2 comparisti	sei comparso/a	eri comparso/a
3 comparve/comparì	è comparso/a	era comparso/a
1 comparimmo	siamo comparsi/e	eravamo comparsi/e
2 compariste	siete comparsi/e	eravate comparsi/e
3 comparvero/comparirono	sono comparsi/e	erano comparsi/e

PAST ANTERIOR	FUTURE PERFECT
fui comparso/a etc	sarò comparso/a etc

CONDITIONAL

IMPERATIVE

PRESENT	PAST	
1 comparirei	sarei comparso/a	
2 compariresti	saresti comparso/a	compari/comparisci
3 comparirebbe	sarebbe comparso/a	compaia/comparisca
1 compariremmo	saremmo comparsi/e	compariamo
2 comparireste	sareste comparsi/e	comparite
3 comparirebbero	sarebbero comparsi/e	compaiano/compariscano

SUBJUNCTIVE

PRESENT	IMPERFECT	PLUPERFECT
1 compaia/comparisca	comparissi	fossi comparso/a
2 compaia/comparisca	comparissi	fossi comparso/a
3 compaia/comparisca	comparisse	fosse comparso/a
1 compariamo	comparissimo	fossimo comparsi/e
2 compariate	compariste	foste comparsi/e
3 compaiano/compariscano	comparissero	fossero comparsi/e

PASSATO PROSSIMO	sia comparso/a etc

INFINITIVE	GERUND	PAST PARTICIPLE
PRESENT	comparendo	comparso/a/i/e
comparire	**NOTE:** further alternative forms of 1st and 3rd persons	
PAST	singular and 3rd person plural of the 'passato remoto'	
esser(e) comparso/a/i/e	are 'comparsi', 'comparse' and 'comparsero' respectively	

	PRESENT	IMPERFECT	FUTURE
1	compio	compivo	compirò
2	compi	compivi	compirai
3	compie	compiva	compirà
1	compiamo	compivamo	compiremo
2	compite	compivate	compirete
3	compiono	compivano	compiranno

	PASSATO REMOTO	PASSATO PROSSIMO	PLUPERFECT
1	compii/compiei	ho compiuto	avevo compiuto
2	compisti	hai compiuto	avevi compiuto
3	compì	ha compiuto	aveva compiuto
1	compimmo	abbiamo compiuto	avevamo compiuto
2	compiste	avete compiuto	avevate compiuto
3	compirono	hanno compiuto	avevano compiuto

PAST ANTERIOR	FUTURE PERFECT
ebbi compiuto *etc*	avrò compiuto *etc*

CONDITIONAL		*IMPERATIVE*

	PRESENT	PAST	
1	compirei	avrei compiuto	
2	compiresti	avresti compiuto	compi
3	compirebbe	avrebbe compiuto	compia
1	compiremmo	avremmo compiuto	compiamo
2	compireste	avreste compiuto	compite
3	compirebbero	avrebbero compiuto	compiano

SUBJUNCTIVE

	PRESENT	IMPERFECT	PLUPERFECT
1	compia	compissi	avessi compiuto
2	compia	compissi	avessi compiuto
3	compia	compisse	avesse compiuto
1	compiamo	compissimo	avessimo compiuto
2	compiate	compiste	aveste compiuto
3	compiano	compissero	avessero compiuto

PASSATO PROSSIMO	abbia compiuto *etc*

INFINITIVE	*GERUND*	*PAST PARTICIPLE*
PRESENT	compiendo	compiuto
compiere		
PAST		
aver(e) compiuto		

48 COMPRARE
to buy

PRESENT	IMPERFECT	FUTURE
1 compro	compravo	comprerò
2 compri	compravi	comprerai
3 compra	comprava	comprerà
1 compriamo	compravamo	compreremo
2 comprate	compravate	comprerete
3 comprano	compravano	compreranno

PASSATO REMOTO	PASSATO PROSSIMO	PLUPERFECT
1 comprai	ho comprato	avevo comprato
2 comprasti	hai comprato	avevi comprato
3 comprò	ha comprato	aveva comprato
1 comprammo	abbiamo comprato	avevamo comprato
2 compraste	avete comprato	avevate comprato
3 comprarono	hanno comprato	avevano comprato

PAST ANTERIOR		FUTURE PERFECT
ebbi comprato *etc*		avrò comprato *etc*

CONDITIONAL		*IMPERATIVE*

PRESENT	PAST	
1 comprerei	avrei comprato	
2 compreresti	avresti comprato	compra
3 comprerebbe	avrebbe comprato	compri
1 compreremmo	avremmo comprato	compriamo
2 comprereste	avreste comprato	comprate
3 comprerebbero	avrebbero comprato	comprino

SUBJUNCTIVE

PRESENT	IMPERFECT	PLUPERFECT
1 compri	comprassi	avessi comprato
2 compri	comprassi	avessi comprato
3 compri	comprasse	avesse comprato
1 compriamo	comprassimo	avessimo comprato
2 compriate	compraste	aveste comprato
3 comprino	comprassero	avessero comprato

PASSATO PROSSIMO	abbia comprato *etc*	

INFINITIVE	*GERUND*	*PAST PARTICIPLE*
PRESENT	comprando	comprato
comprare		
PAST		
aver(e) comprato		

PRESENT	IMPERFECT	FUTURE
1 concedo	concedevo	concederò
2 concedi	concedevi	concederai
3 concede	concedeva	concederà
1 concediamo	concedevamo	concederemo
2 concedete	concedevate	concederete
3 concedono	concedevano	concederanno

PASSATO REMOTO	PASSATO PROSSIMO	PLUPERFECT
1 concessi/concedei[1]	ho concesso	avevo concesso
2 concedesti	hai concesso	avevi concesso
3 concesse/concedé[2]	ha concesso	aveva concesso
1 concedemmo	abbiamo concesso	avevamo concesso
2 concedeste	avete concesso	avevate concesso
3 concessero[3]	hanno concesso	avevano concesso

PAST ANTERIOR		FUTURE PERFECT
ebbi concesso *etc*		avrò concesso *etc*

CONDITIONAL		*IMPERATIVE*

PRESENT	PAST	
1 concederei	avrei concesso	
2 concederesti	avresti concesso	concedi
3 concederebbe	avrebbe concesso	conceda
1 concederemmo	avremmo concesso	concediamo
2 concedereste	avreste concesso	concedete
3 concederebbero	avrebbero concesso	concedano

SUBJUNCTIVE		

PRESENT	IMPERFECT	PLUPERFECT
1 conceda	concedessi	avessi concesso
2 conceda	concedessi	avessi concesso
3 conceda	concedesse	avesse concesso
1 concediamo	concedessimo	avessimo concesso
2 concediate	concedeste	aveste concesso
3 concedano	concedessero	avessero concesso

PASSATO PROSSIMO	abbia concesso *etc*

INFINITIVE	*GERUND*	*PAST PARTICIPLE*
PRESENT	concedendo	concesso
concedere	**NOTE:** [1] also 'concedetti'	
PAST	[2] also 'concedette'	
aver(e) concesso	[3] also 'concederono' or 'concedettero'	

50 CONFONDERE
to confuse

PRESENT	IMPERFECT	FUTURE
1 confondo	confondevo	confonderò
2 confondi	confondevi	confonderai
3 confonde	confondeva	confonderà
1 confondiamo	confondevamo	confonderemo
2 confondete	confondevate	confonderete
3 confondono	confondevano	confonderanno

PASSATO REMOTO	PASSATO PROSSIMO	PLUPERFECT
1 confusi	ho confuso	avevo confuso
2 confondesti	hai confuso	avevi confuso
3 confuse	ha confuso	aveva confuso
1 confondemmo	abbiamo confuso	avevamo confuso
2 confondeste	avete confuso	avevate confuso
3 confusero	hanno confuso	avevano confuso

PAST ANTERIOR		FUTURE PERFECT
ebbi confuso *etc*		avrò confuso *etc*

CONDITIONAL

IMPERATIVE

PRESENT	PAST	
1 confonderei	avrei confuso	
2 confonderesti	avresti confuso	confondi
3 confonderebbe	avrebbe confuso	confonda
1 confonderemmo	avremmo confuso	confondiamo
2 confondereste	avreste confuso	confondete
3 confonderebbero	avrebbero confuso	confondano

SUBJUNCTIVE

PRESENT	IMPERFECT	PLUPERFECT
1 confonda	confondessi	avessi confuso
2 confonda	confondessi	avessi confuso
3 confonda	confondesse	avesse confuso
1 confondiamo	confondessimo	avessimo confuso
2 confondiate	confondeste	aveste confuso
3 confondano	confondessero	avessero confuso

PASSATO PROSSIMO	abbia confuso *etc*

INFINITIVE	GERUND	PAST PARTICIPLE
PRESENT	confondendo	confuso
confondere		
PAST		
aver(e) confuso		

CONOSCERE
to know

PRESENT	IMPERFECT	FUTURE
1 conosco	conoscevo	conoscerò
2 conosci	conoscevi	conoscerai
3 conosce	conosceva	conoscerà
1 conosciamo	conoscevamo	conosceremo
2 conoscete	conoscevate	conoscerete
3 conoscono	conoscevano	conosceranno

PASSATO REMOTO	PASSATO PROSSIMO	PLUPERFECT
1 conobbi	ho conosciuto	avevo conosciuto
2 conoscesti	hai conosciuto	avevi conosciuto
3 conobbe	ha conosciuto	aveva conosciuto
1 conoscemmo	abbiamo conosciuto	avevamo conosciuto
2 conosceste	avete conosciuto	avevate conosciuto
3 conobbero	hanno conosciuto	avevano conosciuto

PAST ANTERIOR		FUTURE PERFECT
ebbi conosciuto *etc*		avrò conosciuto *etc*

CONDITIONAL		*IMPERATIVE*

PRESENT	PAST	
1 conoscerei	avrei conosciuto	
2 conosceresti	avresti conosciuto	conosci
3 conoscerebbe	avrebbe conosciuto	conosca
1 conosceremmo	avremmo conosciuto	conosciamo
2 conoscereste	avreste conosciuto	conoscete
3 conoscerebbero	avrebbero conosciuto	conoscano

SUBJUNCTIVE		

PRESENT	IMPERFECT	PLUPERFECT
1 conosca	conoscessi	avessi conosciuto
2 conosca	conoscessi	avessi conosciuto
3 conosca	conoscesse	avesse conosciuto
1 conosciamo	conoscessimo	avessimo conosciuto
2 conosciate	conosceste	aveste conosciuto
3 conoscano	conoscessero	avessero conosciuto

PASSATO PROSSIMO	abbia conosciuto *etc*

INFINITIVE	*GERUND*	*PAST PARTICIPLE*
PRESENT	conoscendo	conosciuto
conoscere		
PAST		
aver(e) conosciuto		

CONSIGLIARE
to recommend

PRESENT	IMPERFECT	FUTURE
1 consiglio	consigliavo	consiglierò
2 consigli	consigliavi	consiglierai
3 consiglia	consigliava	consiglierà
1 consigliamo	consigliavamo	consiglieremo
2 consigliate	consigliavate	consiglierete
3 consigliano	consigliavano	consiglieranno

PASSATO REMOTO	PASSATO PROSSIMO	PLUPERFECT
1 consigliai	ho consigliato	avevo consigliato
2 consigliasti	hai consigliato	avevi consigliato
3 consigliò	ha consigliato	aveva consigliato
1 consigliammo	abbiamo consigliato	avevamo consigliato
2 consigliaste	avete consigliato	avevate consigliato
3 consigliarono	hanno consigliato	avevano consigliato

PAST ANTERIOR		FUTURE PERFECT
ebbi consigliato *etc*		avrò consigliato *etc*

CONDITIONAL		IMPERATIVE

PRESENT	PAST	
1 consiglierei	avrei consigliato	
2 consiglieresti	avresti consigliato	consiglia
3 consiglierebbe	avrebbe consigliato	consigli
1 consiglieremmo	avremmo consigliato	consigliamo
2 consigliereste	avreste consigliato	consigliate
3 consiglierebbero	avrebbero consigliato	consiglino

SUBJUNCTIVE

PRESENT	IMPERFECT	PLUPERFECT
1 consigli	consigliassi	avessi consigliato
2 consigli	consigliassi	avessi consigliato
3 consigli	consigliasse	avesse consigliato
1 consigliamo	consigliassimo	avessimo consigliato
2 consigliate	consigliaste	aveste consigliato
3 consiglino	consigliassero	avessero consigliato

PASSATO PROSSIMO	abbia consigliato *etc*	

INFINITIVE	GERUND	PAST PARTICIPLE
PRESENT	consigliando	consigliato
consigliare		
PAST		
aver(e) consigliato		

PRESENT	IMPERFECT	FUTURE
1		
2		
3 consiste	consisteva	consisterà
1		
2		
3 consistono	consistevano	consisteranno

PASSATO REMOTO	PASSATO PROSSIMO	PLUPERFECT
1		
2		
3 consisté/consistette	è consistito/a	era consistito/a
1		
2		
3 consisterono/consistettero	sono consistiti/e	erano consistiti/e

PAST ANTERIOR		FUTURE PERFECT
fu consistito/a *etc*		sarà consistito/a *etc*

CONDITIONAL		*IMPERATIVE*

PRESENT	PAST	
1		
2		
3 consisterebbe	sarebbe consistito/a	
1		
2		
3 consisterebbero	sarebbero consistiti/e	

SUBJUNCTIVE		

PRESENT	IMPERFECT	PLUPERFECT
1		
2		
3 consista	consistesse	fosse consistito/a
1		
2		
3 consistano	consistessero	fossero consistiti/e

PASSATO PROSSIMO	sia consistito/a *etc*	

INFINITIVE	*GERUND*	*PAST PARTICIPLE*
PRESENT consistere	consistendo	consistito/a/i/e
PAST esser(e) consistito/a/i/e		

CONTINUARE
to continue

	PRESENT	IMPERFECT	FUTURE
1	continuo	continuavo	continuerò
2	continui	continuavi	continuerai
3	continua	continuava	continuerà
1	continuiamo	continuavamo	continueremo
2	continuate	continuavate	continuerete
3	continuano	continuavano	continueranno

	PASSATO REMOTO	PASSATO PROSSIMO	PLUPERFECT
1	continuai	ho continuato	avevo continuato
2	continuasti	hai continuato	avevi continuato
3	continuò	ha continuato	aveva continuato
1	continuammo	abbiamo continuato	avevamo continuato
2	continuaste	avete continuato	avevate continuato
3	continuarono	hanno continuato	avevano continuato

PAST ANTERIOR	FUTURE PERFECT
ebbi continuato *etc*	avrò continuato *etc*

CONDITIONAL		*IMPERATIVE*

	PRESENT	PAST	
1	continuerei	avrei continuato	
2	continueresti	avresti continuato	continua
3	continuerebbe	avrebbe continuato	continui
1	continueremmo	avremmo continuato	continuiamo
2	continuereste	avreste continuato	continuate
3	continuerebbero	avrebbero continuato	continuino

SUBJUNCTIVE

	PRESENT	IMPERFECT	PLUPERFECT
1	continui	continuassi	avessi continuato
2	continui	continuassi	avessi continuato
3	continui	continuasse	avesse continuato
1	continuiamo	continuassimo	avessimo continuato
2	continuiate	continuaste	aveste continuato
3	continuino	continuassero	avessero continuato

PASSATO PROSSIMO	abbia continuato *etc*

INFINITIVE	*GERUND*	*PAST PARTICIPLE*
PRESENT	continuando	continuato
continuare		
PAST		
aver(e) continuato		

CONVINCERE
to convince

	PRESENT	IMPERFECT	FUTURE
1	convinco	convincevo	convincerò
2	convinci	convincevi	convincerai
3	convince	convinceva	convincerà
1	convinciamo	convincevamo	convinceremo
2	convincete	convincevate	convincerete
3	convincono	convincevano	convinceranno

	PASSATO REMOTO	PASSATO PROSSIMO	PLUPERFECT
1	convinsi	ho convinto	avevo convinto
2	convincesti	hai convinto	avevi convinto
3	convinse	ha convinto	aveva convinto
1	convincemmo	abbiamo convinto	avevamo convinto
2	convinceste	avete convinto	avevate convinto
3	convinsero	hanno convinto	avevano convinto

PAST ANTERIOR	FUTURE PERFECT
ebbi convinto *etc*	avrò convinto *etc*

CONDITIONAL

IMPERATIVE

	PRESENT	PAST	
1	convincerei	avrei convinto	
2	convinceresti	avresti convinto	convinci
3	convincerebbe	avrebbe convinto	convinca
1	convinceremmo	avremmo convinto	convinciamo
2	convincereste	avreste convinto	convincete
3	convincerebbero	avrebbero convinto	convincano

SUBJUNCTIVE

	PRESENT	IMPERFECT	PLUPERFECT
1	convinca	convincessi	avessi convinto
2	convinca	convincessi	avessi convinto
3	convinca	convincesse	avesse convinto
1	convinciamo	convincessimo	avessimo convinto
2	convinciate	convinceste	aveste convinto
3	convincano	convincessero	avessero convinto

PASSATO PROSSIMO	abbia convinto *etc*

INFINITIVE	GERUND	PAST PARTICIPLE
PRESENT	convincendo	convinto
convincere		
PAST		
aver(e) convinto		

COPRIRE
to cover

PRESENT	IMPERFECT	FUTURE
1 copro	coprivo	coprirò
2 copri	coprivi	coprirai
3 copre	copriva	coprirà
1 copriamo	coprivamo	copriremo
2 coprite	coprivate	coprirete
3 coprono	coprivano	copriranno

PASSATO REMOTO	PASSATO PROSSIMO	PLUPERFECT
1 coprii/copersi	ho coperto	avevo coperto
2 copristi	hai coperto	avevi coperto
3 copri/coperse	ha coperto	aveva coperto
1 coprimmo	abbiamo coperto	avevamo coperto
2 copriste	avete coperto	avevate coperto
3 coprirono/copersero	hanno coperto	avevano coperto

PAST ANTERIOR	FUTURE PERFECT
ebbi coperto *etc*	avrò coperto *etc*

CONDITIONAL		*IMPERATIVE*

PRESENT	PAST	
1 coprirei	avrei coperto	
2 copriresti	avresti coperto	copri
3 coprirebbe	avrebbe coperto	copra
1 copriremmo	avremmo coperto	copriamo
2 coprireste	avreste coperto	coprite
3 coprirebbero	avrebbero coperto	coprano

SUBJUNCTIVE		

PRESENT	IMPERFECT	PLUPERFECT
1 copra	coprissi	avessi coperto
2 copra	coprissi	avessi coperto
3 copra	coprisse	avesse coperto
1 copriamo	coprissimo	avessimo coperto
2 copriate	copriste	aveste coperto
3 coprano	coprissero	avessero coperto

PASSATO PROSSIMO	abbia coperto *etc*

INFINITIVE	*GERUND*	*PAST PARTICIPLE*
PRESENT	coprendo	coperto
coprire		
PAST		
aver(e) coperto		

CORREGGERE

to correct

PRESENT	IMPERFECT	FUTURE
1 correggo	correggevo	correggerò
2 correggi	correggevi	correggerai
3 corregge	correggeva	correggerà
1 correggiamo	correggevamo	correggeremo
2 correggete	correggevate	correggerete
3 correggono	correggevano	correggeranno

PASSATO REMOTO	PASSATO PROSSIMO	PLUPERFECT
1 corressi	ho corretto	avevo corretto
2 correggesti	hai corretto	avevi corretto
3 corresse	ha corretto	aveva corretto
1 correggemmo	abbiamo corretto	avevamo corretto
2 correggeste	avete corretto	avevate corretto
3 corressero	hanno corretto	avevano corretto

PAST ANTERIOR		FUTURE PERFECT
ebbi corretto *etc*		avrò corretto *etc*

CONDITIONAL		*IMPERATIVE*

PRESENT	PAST	
1 correggerei	avrei corretto	
2 correggeresti	avresti corretto	correggi
3 correggerebbe	avrebbe corretto	corregga
1 correggeremmo	avremmo corretto	correggiamo
2 correggereste	avreste corretto	correggete
3 correggerebbero	avrebbero corretto	correggano

SUBJUNCTIVE

PRESENT	IMPERFECT	PLUPERFECT
1 corregga	correggessi	avessi corretto
2 corregga	correggessi	avessi corretto
3 corregga	correggesse	avesse corretto
1 correggiamo	correggessimo	avessimo corretto
2 correggiate	correggeste	aveste corretto
3 correggano	correggessero	avessero corretto

PASSATO PROSSIMO	abbia corretto *etc*

INFINITIVE	*GERUND*	*PAST PARTICIPLE*
PRESENT	correggendo	corretto
correggere		
PAST		
aver(e) corretto		

58

CORRERE
to run

PRESENT	IMPERFECT	FUTURE
1 corro	correvo	correrò
2 corri	correvi	correrai
3 corre	correva	correrà
1 corriamo	correvamo	correremo
2 correte	correvate	correrete
3 corrono	correvano	correranno

PASSATO REMOTO	PASSATO PROSSIMO	PLUPERFECT
1 corsi	sono corso/a	ero corso/a
2 corresti	sei corso/a	eri corso/a
3 corse	è corso/a	era corso/a
1 corremmo	siamo corsi/e	eravamo corsi/e
2 correste	siete corsi/e	eravate corsi/e
3 corsero	sono corsi/e	erano corsi/e

PAST ANTERIOR	FUTURE PERFECT
fui corso/a etc	sarò corso/a etc

CONDITIONAL		IMPERATIVE

PRESENT	PAST	
1 correrei	sarei corso/a	
2 correresti	saresti corso/a	corri
3 correrebbe	sarebbe corso/a	corra
1 correremmo	saremmo corsi/e	corriamo
2 correreste	sareste corsi/e	correte
3 correrebbero	sarebbero corsi/e	corrano

SUBJUNCTIVE

PRESENT	IMPERFECT	PLUPERFECT
1 corra	corressi	fossi corso/a
2 corra	corressi	fossi corso/a
3 corra	corresse	fosse corso/a
1 corriamo	corressimo	fossimo corsi/e
2 corriate	correste	foste corsi/e
3 corrano	corressero	fossero corsi/e

PASSATO PROSSIMO	sia corso/a etc

INFINITIVE	GERUND	PAST PARTICIPLE
PRESENT	correndo	corso/a/i/e
correre		
PAST	NOTE: 'correre' takes 'avere' as its auxiliary when used transitively, eg: I have run a risk = ho corso un rischio.	
esser(e) corso/a/i/e		

COSTARE
to cost, be expensive

	PRESENT	IMPERFECT	FUTURE
1	costo	costavo	costerò
2	costi	costavi	costerai
3	costa	costava	costerà
1	costiamo	costavamo	costeremo
2	costate	costavate	costerete
3	costano	costavano	costeranno

	PASSATO REMOTO	PASSATO PROSSIMO	PLUPERFECT
1	costai	sono costato/a	ero costato/a
2	costasti	sei costato/a	eri costato/a
3	costò	è costato/a	era costato/a
1	costammo	siamo costati/e	eravamo costati/e
2	costaste	siete costati/e	eravate costati/e
3	costarono	sono costati/e	erano costati/e

PAST ANTERIOR		FUTURE PERFECT
fui costato/a *etc*		sarò costato/a *etc*

CONDITIONAL		*IMPERATIVE*

	PRESENT	PAST	
1	costerei	sarei costato/a	
2	costeresti	saresti costato/a	costa
3	costerebbe	sarebbe costato/a	costi
1	costeremmo	saremmo costati/e	costiamo
2	costereste	sareste costati/e	costate
3	costerebbero	sarebbero costati/e	costino

SUBJUNCTIVE		

	PRESENT	IMPERFECT	PLUPERFECT
1	costi	costassi	fossi costato/a
2	costi	costassi	fossi costato/a
3	costi	costasse	fosse costato/a
1	costiamo	costassimo	fossimo costati/e
2	costiate	costaste	foste costati/e
3	costino	costassero	fossero costati/e

PASSATO PROSSIMO	sia costato/a *etc*

INFINITIVE	*GERUND*	*PAST PARTICIPLE*
PRESENT	costando	costato/a/i/e
costare		
PAST		
esser(e) costato/a/i/e		

60 COSTRUIRE
to build

PRESENT	IMPERFECT	FUTURE
1 costruisco	costruivo	costruirò
2 costruisci	costruivi	costruirai
3 costruisce	costruiva	costruirà
1 costruiamo	costruivamo	costruiremo
2 costruite	costruivate	costruirete
3 costruiscono	costruivano	costruiranno

PASSATO REMOTO	PASSATO PROSSIMO	PLUPERFECT
1 costruii/costrussi	ho costruito	avevo costruito
2 costruisti	hai costruito	avevi costruito
3 costruì/costrusse	ha costruito	aveva costruito
1 costruimmo	abbiamo costruito	avevamo costruito
2 costruiste	avete costruito	avevate costruito
3 costruirono/costrussero	hanno costruito	avevano costruito

PAST ANTERIOR		FUTURE PERFECT
ebbi costruito *etc*		avrò costruito *etc*

CONDITIONAL

PRESENT	PAST	IMPERATIVE
1 costruirei	avrei costruito	
2 costruiresti	avresti costruito	costruisci
3 costruirebbe	avrebbe costruito	costruisca
1 costruiremmo	avremmo costruito	costruiamo
2 costruireste	avreste costruito	costruite
3 costruirebbero	avrebbero costruito	costruiscano

SUBJUNCTIVE

PRESENT	IMPERFECT	PLUPERFECT
1 costruisca	costruissi	avessi costruito
2 costruisca	costruissi	avessi costruito
3 costruisca	costruisse	avesse costruito
1 costruiamo	costruissimo	avessimo costruito
2 costruiate	costruiste	aveste costruito
3 costruiscano	costruissero	avessero costruito

PASSATO PROSSIMO	abbia costruito *etc*	

INFINITIVE	GERUND	PAST PARTICIPLE
PRESENT	costruendo	costruito
costruire		
PAST		
aver(e) costruito		

CREDERE
to believe

	PRESENT	IMPERFECT	FUTURE
1	credo	credevo	crederò
2	credi	credevi	crederai
3	crede	credeva	crederà
1	crediamo	credevamo	crederemo
2	credete	credevate	crederete
3	credono	credevano	crederanno

	PASSATO REMOTO	PASSATO PROSSIMO	PLUPERFECT
1	credei/credetti	ho creduto	avevo creduto
2	credesti	hai creduto	avevi creduto
3	credé/credette	ha creduto	aveva creduto
1	credemmo	abbiamo creduto	avevamo creduto
2	credeste	avete creduto	avevate creduto
3	crederono/credettero	hanno creduto	avevano creduto

PAST ANTERIOR	FUTURE PERFECT
ebbi creduto *etc*	avrò creduto *etc*

CONDITIONAL		*IMPERATIVE*

	PRESENT	PAST	
1	crederei	avrei creduto	
2	crederesti	avresti creduto	credi
3	crederebbe	avrebbe creduto	creda
1	crederemmo	avremmo creduto	crediamo
2	credereste	avreste creduto	credete
3	crederebbero	avrebbero creduto	credano

SUBJUNCTIVE		

	PRESENT	IMPERFECT	PLUPERFECT
1	creda	credessi	avessi creduto
2	creda	credessi	avessi creduto
3	creda	credesse	avesse creduto
1	crediamo	credessimo	avessimo creduto
2	crediate	credeste	aveste creduto
3	credano	credessero	avessero creduto

PASSATO PROSSIMO	abbia creduto *etc*

INFINITIVE	*GERUND*	*PAST PARTICIPLE*
PRESENT	credendo	creduto
credere		
PAST		
aver(e) creduto		

CRESCERE
to grow

PRESENT	IMPERFECT	FUTURE
1 cresco	crescevo	crescerò
2 cresci	crescevi	crescerai
3 cresce	cresceva	crescerà
1 cresciamo	crescevamo	cresceremo
2 crescete	crescevate	crescerete
3 crescono	crescevano	cresceranno

PASSATO REMOTO	PASSATO PROSSIMO	PLUPERFECT
1 crebbi	sono cresciuto/a	ero cresciuto/a
2 crescesti	sei cresciuto/a	eri cresciuto/a
3 crebbe	è cresciuto/a	era cresciuto/a
1 crescemmo	siamo cresciuti/e	eravamo cresciuti/e
2 cresceste	siete cresciuti/e	eravate cresciuti/e
3 crebbero	sono cresciuti/e	erano cresciuti/e

PAST ANTERIOR	FUTURE PERFECT
fui cresciuto/a *etc*	sarò cresciuto/a *etc*

CONDITIONAL		*IMPERATIVE*
PRESENT	**PAST**	
1 crescerei	sarei cresciuto/a	
2 cresceresti	saresti cresciuto/a	cresci
3 crescerebbe	sarebbe cresciuto/a	cresca
1 cresceremmo	saremmo cresciuti/e	cresciamo
2 crescereste	sareste cresciuti/e	crescete
3 crescerebbero	sarebbero cresciuti/e	crescano

SUBJUNCTIVE		
PRESENT	**IMPERFECT**	**PLUPERFECT**
1 cresca	crescessi	fossi cresciuto/a
2 cresca	crescessi	fossi cresciuto/a
3 cresca	crescesse	fosse cresciuto/a
1 cresciamo	crescessimo	fossimo cresciuti/e
2 cresciate	cresceste	foste cresciuti/e
3 crescano	crescessero	fossero cresciuti/e

PASSATO PROSSIMO	sia cresciuto/a *etc*

INFINITIVE	*GERUND*	*PAST PARTICIPLE*
PRESENT	crescendo	cresciuto/a/i/e
crescere		
PAST		
esser(e) cresciuto/a/i/e		

CUCIRE
to sew

	PRESENT	IMPERFECT	FUTURE
1	cucio	cucivo	cucirò
2	cuci	cucivi	cucirai
3	cuce	cuciva	cucirà
1	cuciamo	cucivamo	cuciremo
2	cucite	cucivate	cucirete
3	cuciono	cucivano	cuciranno

	PASSATO REMOTO	PASSATO PROSSIMO	PLUPERFECT
1	cucii	ho cucito	avevo cucito
2	cucisti	hai cucito	avevi cucito
3	cucì	ha cucito	aveva cucito
1	cucimmo	abbiamo cucito	avevamo cucito
2	cuciste	avete cucito	avevate cucito
3	cucirono	hanno cucito	avevano cucito

PAST ANTERIOR	FUTURE PERFECT
ebbi cucito *etc*	avrò cucito *etc*

CONDITIONAL		*IMPERATIVE*

	PRESENT	PAST	
1	cucirei	avrei cucito	
2	cuciresti	avresti cucito	cuci
3	cucirebbe	avrebbe cucito	cucia
1	cuciremmo	avremmo cucito	cuciamo
2	cucireste	avreste cucito	cucite
3	cucirebbero	avrebbero cucito	cuciano

SUBJUNCTIVE

	PRESENT	IMPERFECT	PLUPERFECT
1	cucia	cucissi	avessi cucito
2	cucia	cucissi	avessi cucito
3	cucia	cucisse	avesse cucito
1	cuciamo	cucissimo	avessimo cucito
2	cuciate	cuciste	aveste cucito
3	cuciano	cucissero	avessero cucito

PASSATO PROSSIMO	abbia cucito *etc*

INFINITIVE	*GERUND*	*PAST PARTICIPLE*
PRESENT	cucendo	cucito
cucire		
PAST		
aver(e) cucito		

64

CUOCERE
to cook, vex

PRESENT	IMPERFECT	FUTURE
1 cuocio	cocevo	cocerò
2 cuoci	cocevi	cocerai
3 cuoce	coceva	cocerà
1 cociamo	cocevamo	coceremo
2 cocete	cocevate	cocerete
3 cuociono	cocevano	coceranno

PASSATO REMOTO	PASSATO PROSSIMO	PLUPERFECT
1 cossi	ho cotto	avevo cotto
2 cocesti	hai cotto	avevi cotto
3 cosse	ha cotto	aveva cotto
1 cocemmo	abbiamo cotto	avevamo cotto
2 coceste	avete cotto	avevate cotto
3 cossero	hanno cotto	avevano cotto

PAST ANTERIOR	FUTURE PERFECT
ebbi cotto *etc*	avrò cotto *etc*

CONDITIONAL		*IMPERATIVE*
PRESENT	**PAST**	
1 cocerei	avrei cotto	
2 coceresti	avresti cotto	cuoci
3 cocerebbe	avrebbe cotto	cuocia
1 coceremmo	avremmo cotto	cociamo
2 cocereste	avreste cotto	cocete
3 cocerebbero	avrebbero cotto	cuociano

SUBJUNCTIVE

PRESENT	IMPERFECT	PLUPERFECT
1 cuocia	cocessi	avessi cotto
2 cuocia	cocessi	avessi cotto
3 cuocia	cocesse	avesse cotto
1 cociamo	cocessimo	avessimo cotto
2 cociate	coceste	aveste cotto
3 cuociano	cocessero	avessero cotto

PASSATO PROSSIMO	abbia cotto *etc*

INFINITIVE	*GERUND*	*PAST PARTICIPLE*
PRESENT	cocendo	cotto/cociuto
cuocere		
PAST	**NOTE:** the past participle 'cociuto' is only used when	
aver(e) cotto/cociuto	'cuocere' = 'to vex'	

DARE
to give

	PRESENT	IMPERFECT	FUTURE
1	do	davo	darò
2	dai	davi	darai
3	dà	dava	darà
1	diamo	davamo	daremo
2	date	davate	darete
3	danno	davano	daranno

	PASSATO REMOTO	PASSATO PROSSIMO	PLUPERFECT
1	diedi/detti	ho dato	avevo dato
2	desti	hai dato	avevi dato
3	diede/dette	ha dato	aveva dato
1	demmo	abbiamo dato	avevamo dato
2	deste	avete dato	avevate dato
3	diedero/dettero	hanno dato	avevano dato

PAST ANTERIOR	FUTURE PERFECT
ebbi dato *etc*	avrò dato *etc*

CONDITIONAL		*IMPERATIVE*

	PRESENT	PAST	
1	darei	avrei dato	
2	daresti	avresti dato	dà/dai/da'
3	darebbe	avrebbe dato	dia
1	daremmo	avremmo dato	diamo
2	dareste	avreste dato	date
3	darebbero	avrebbero dato	diano

SUBJUNCTIVE

	PRESENT	IMPERFECT	PLUPERFECT
1	dia	dessi	avessi dato
2	dia	dessi	avessi dato
3	dia	desse	avesse dato
1	diamo	dessimo	avessimo dato
2	diate	deste	aveste dato
3	diano	dessero	avessero dato

PASSATO PROSSIMO	abbia dato *etc*

INFINITIVE	*GERUND*	*PAST PARTICIPLE*
PRESENT	dando	dato
dare		
PAST		
aver(e) dato		

DECIDERE
to decide, fix

PRESENT	IMPERFECT	FUTURE
1 decido	decidevo	deciderò
2 decidi	decidevi	deciderai
3 decide	decideva	deciderà
1 decidiamo	decidevamo	decideremo
2 decidete	decidevate	deciderete
3 decidono	decidevano	decideranno

PASSATO REMOTO	PASSATO PROSSIMO	PLUPERFECT
1 decisi	ho deciso	avevo deciso
2 decidesti	hai deciso	avevi deciso
3 decise	ha deciso	aveva deciso
1 decidemmo	abbiamo deciso	avevamo deciso
2 decideste	avete deciso	avevate deciso
3 decisero	hanno deciso	avevano deciso

PAST ANTERIOR	FUTURE PERFECT
ebbi deciso *etc*	avrò deciso *etc*

CONDITIONAL

IMPERATIVE

PRESENT	PAST	
1 deciderei	avrei deciso	
2 decideresti	avresti deciso	decidi
3 deciderebbe	avrebbe deciso	decida
1 decideremmo	avremmo deciso	decidiamo
2 decidereste	avreste deciso	decidete
3 deciderebbero	avrebbero deciso	decidano

SUBJUNCTIVE

PRESENT	IMPERFECT	PLUPERFECT
1 decida	decidessi	avessi deciso
2 decida	decidessi	avessi deciso
3 decida	decidesse	avesse deciso
1 decidiamo	decidessimo	avessimo deciso
2 decidiate	decideste	aveste deciso
3 decidano	decidessero	avessero deciso

PASSATO PROSSIMO	abbia deciso *etc*

INFINITIVE	GERUND	PAST PARTICIPLE
PRESENT	decidendo	deciso
decidere		
PAST		
aver(e) deciso		

DEFINIRE
to define

PRESENT	IMPERFECT	FUTURE
1 definisco	definivo	definirò
2 definisci	definivi	definirai
3 definisce	definiva	definirà
1 definiamo	definivamo	definiremo
2 definite	definivate	definirete
3 definiscono	definivano	definiranno

PASSATO REMOTO	PASSATO PROSSIMO	PLUPERFECT
1 definii	ho definito	avevo definito
2 definisti	hai definito	avevi definito
3 definì	ha definito	aveva definito
1 definimmo	abbiamo definito	avevamo definito
2 definiste	avete definito	avevate definito
3 definirono	hanno definito	avevano definito

PAST ANTERIOR		FUTURE PERFECT
ebbi definito *etc*		avrò definito *etc*

CONDITIONAL		*IMPERATIVE*

PRESENT	PAST	
1 definirei	avrei definito	
2 definiresti	avresti definito	definisci
3 definirebbe	avrebbe definito	definisca
1 definiremmo	avremmo definito	definiamo
2 definireste	avreste definito	definite
3 definirebbero	avrebbero definito	definiscano

SUBJUNCTIVE

PRESENT	IMPERFECT	PLUPERFECT
1 definisca	definissi	avessi definito
2 definisca	definissi	avessi definito
3 definisca	definisse	avesse definito
1 definiamo	definissimo	avessimo definito
2 definiate	definiste	aveste definito
3 definiscano	definissero	avessero definito

PASSATO PROSSIMO	abbia definito *etc*

INFINITIVE	*GERUND*	*PAST PARTICIPLE*
PRESENT	definendo	definito
definire		
PAST		
aver(e) definito		

DESCRIVERE
to describe

PRESENT	IMPERFECT	FUTURE
1 descrivo	descrivevo	descriverò
2 descrivi	descrivevi	descriverai
3 descrive	descriveva	descriverà
1 descriviamo	descrivevamo	descriveremo
2 descrivete	descrivevate	descriverete
3 descrivono	descrivevano	descriveranno

PASSATO REMOTO	PASSATO PROSSIMO	PLUPERFECT
1 descrissi	ho descritto	avevo descritto
2 descrivesti	hai descritto	avevi descritto
3 descrisse	ha descritto	aveva descritto
1 descrivemmo	abbiamo descritto	avevamo descritto
2 descriveste	avete descritto	avevate descritto
3 descrissero	hanno descritto	avevano descritto

PAST ANTERIOR	FUTURE PERFECT
ebbi descritto *etc*	avrò descritto *etc*

CONDITIONAL		IMPERATIVE
PRESENT	**PAST**	
1 descriverei	avrei descritto	
2 descriveresti	avresti descritto	descrivi
3 descriverebbe	avrebbe descritto	descriva
1 descriveremmo	avremmo descritto	descriviamo
2 descrivereste	avreste descritto	descrivete
3 descriverebbero	avrebbero descritto	descrivano

SUBJUNCTIVE

PRESENT	IMPERFECT	PLUPERFECT
1 descriva	descrivessi	avessi descritto
2 descriva	descrivessi	avessi descritto
3 descriva	descrivesse	avesse descritto
1 descriviamo	descrivessimo	avessimo descritto
2 descriviate	descriveste	aveste descritto
3 descrivano	descrivessero	avessero descritto

PASSATO PROSSIMO	abbia descritto *etc*

INFINITIVE	GERUND	PAST PARTICIPLE
PRESENT	descrivendo	descritto
descrivere		
PAST		
aver(e) descritto		

DESIDERARE
to wish, want

PRESENT	IMPERFECT	FUTURE
1 desidero	desideravo	desidererò
2 desideri	desideravi	desidererai
3 desidera	desiderava	desidererà
1 desideriamo	desideravamo	desidereremo
2 desiderate	desideravate	desidererete
3 desiderano	desideravano	desidereranno

PASSATO REMOTO	PASSATO PROSSIMO	PLUPERFECT
1 desiderai	ho desiderato	avevo desiderato
2 desiderasti	hai desiderato	avevi desiderato
3 desiderò	ha desiderato	aveva desiderato
1 desiderammo	abbiamo desiderato	avevamo desiderato
2 desideraste	avete desiderato	avevate desiderato
3 desiderarono	hanno desiderato	avevano desiderato

PAST ANTERIOR		FUTURE PERFECT
ebbi desiderato *etc*		avrò desiderato *etc*

CONDITIONAL		*IMPERATIVE*
PRESENT	**PAST**	
1 desidererei	avrei desiderato	
2 desidereresti	avresti desiderato	desidera
3 desidererebbe	avrebbe desiderato	desideri
1 desidereremmo	avremmo desiderato	desideriamo
2 desiderereste	avreste desiderato	desiderate
3 desidererebbero	avrebbero desiderato	desiderino

SUBJUNCTIVE

PRESENT	IMPERFECT	PLUPERFECT
1 desideri	desiderassi	avessi desiderato
2 desideri	desiderassi	avessi desiderato
3 desideri	desiderasse	avesse desiderato
1 desideriamo	desiderassimo	avessimo desiderato
2 desideriate	desideraste	aveste desiderato
3 desiderino	desiderassero	avessero desiderato

PASSATO PROSSIMO	abbia desiderato *etc*

INFINITIVE	*GERUND*	*PAST PARTICIPLE*
PRESENT	desiderando	desiderato
desiderare		
PAST		
aver(e) desiderato		

70

PRESENT	IMPERFECT	FUTURE
1 difendo	difendevo	difenderò
2 difendi	difendevi	difenderai
3 difende	difendeva	difenderà
1 difendiamo	difendevamo	difenderemo
2 difendete	difendevate	difenderete
3 difendono	difendevano	difenderanno

PASSATO REMOTO	PASSATO PROSSIMO	PLUPERFECT
1 difesi	ho difeso	avevo difeso
2 difendesti	hai difeso	avevi difeso
3 difese	ha difeso	aveva difeso
1 difendemmo	abbiamo difeso	avevamo difeso
2 difendeste	avete difeso	avevate difeso
3 difesero	hanno difeso	avevano difeso

PAST ANTERIOR	FUTURE PERFECT
ebbi difeso *etc*	avrò difeso *etc*

CONDITIONAL		IMPERATIVE

PRESENT	PAST	
1 difenderei	avrei difeso	
2 difenderesti	avresti difeso	difendi
3 difenderebbe	avrebbe difeso	difenda
1 difenderemmo	avremmo difeso	difendiamo
2 difendereste	avreste difeso	difendete
3 difenderebbero	avrebbero difeso	difendano

SUBJUNCTIVE

PRESENT	IMPERFECT	PLUPERFECT
1 difenda	difendessi	avessi difeso
2 difenda	difendessi	avessi difeso
3 difenda	difendesse	avesse difeso
1 difendiamo	difendessimo	avessimo difeso
2 difendiate	difendeste	aveste difeso
3 difendano	difendessero	avessero difeso

PASSATO PROSSIMO	abbia difeso *etc*

INFINITIVE	GERUND	PAST PARTICIPLE
PRESENT difendere	difendendo	difeso
PAST aver(e) difeso		

DIFFONDERE
to spread, broadcast

	PRESENT	IMPERFECT	FUTURE
1	diffondo	diffondevo	diffonderò
2	diffondi	diffondevi	diffonderai
3	diffonde	diffondeva	diffonderà
1	diffondiamo	diffondevamo	diffonderemo
2	diffondete	diffondevate	diffonderete
3	diffondono	diffondevano	diffonderanno

	PASSATO REMOTO	PASSATO PROSSIMO	PLUPERFECT
1	diffusi	ho diffuso	avevo diffuso
2	diffondesti	hai diffuso	avevi diffuso
3	diffuse	ha diffuso	aveva diffuso
1	diffondemmo	abbiamo diffuso	avevamo diffuso
2	diffondeste	avete diffuso	avevate diffuso
3	diffusero	hanno diffuso	avevano diffuso

PAST ANTERIOR	FUTURE PERFECT
ebbi diffuso *etc*	avrò diffuso *etc*

CONDITIONAL

IMPERATIVE

	PRESENT	PAST	
1	diffonderei	avrei diffuso	
2	diffonderesti	avresti diffuso	diffondi
3	diffonderebbe	avrebbe diffuso	diffonda
1	diffonderemmo	avremmo diffuso	diffondiamo
2	diffondereste	avreste diffuso	diffondete
3	diffonderebbero	avrebbero diffuso	diffondano

SUBJUNCTIVE

	PRESENT	IMPERFECT	PLUPERFECT
1	diffonda	diffondessi	avessi diffuso
2	diffonda	diffondessi	avessi diffuso
3	diffonda	diffondesse	avesse diffuso
1	diffondiamo	diffondessimo	avessimo diffuso
2	diffondiate	diffondeste	aveste diffuso
3	diffondano	diffondessero	avessero diffuso

PASSATO PROSSIMO	abbia diffuso *etc*

INFINITIVE	*GERUND*	*PAST PARTICIPLE*
PRESENT	diffondendo	diffuso
diffondere		
PAST		
aver(e) diffuso		

DIMENTICARE
to forget

PRESENT	IMPERFECT	FUTURE
1 dimentico	dimenticavo	dimenticherò
2 dimentichi	dimenticavi	dimenticherai
3 dimentica	dimenticava	dimenticherà
1 dimentichiamo	dimenticavamo	dimenticheremo
2 dimenticate	dimenticavate	dimenticherete
3 dimenticano	dimenticavano	dimenticheranno

PASSATO REMOTO	PASSATO PROSSIMO	PLUPERFECT
1 dimenticai	ho dimenticato	avevo dimenticato
2 dimenticasti	hai dimenticato	avevi dimenticato
3 dimenticò	ha dimenticato	aveva dimenticato
1 dimenticammo	abbiamo dimenticato	avevamo dimenticato
2 dimenticaste	avete dimenticato	avevate dimenticato
3 dimenticarono	hanno dimenticato	avevano dimenticato

PAST ANTERIOR		FUTURE PERFECT
ebbi dimenticato *etc*		avrò dimenticato *etc*

CONDITIONAL		*IMPERATIVE*

PRESENT	PAST	
1 dimenticherei	avrei dimenticato	
2 dimenticheresti	avresti dimenticato	dimentica
3 dimenticherebbe	avrebbe dimenticato	dimentichi
1 dimenticheremmo	avremmo dimenticato	dimentichiamo
2 dimentichereste	avreste dimenticato	dimenticate
3 dimenticherebbero	avrebbero dimenticato	dimentichino

SUBJUNCTIVE		

PRESENT	IMPERFECT	PLUPERFECT
1 dimentichi	dimenticassi	avessi dimenticato
2 dimentichi	dimenticassi	avessi dimenticato
3 dimentichi	dimenticasse	avesse dimenticato
1 dimentichiamo	dimenticassimo	avessimo dimenticato
2 dimentichiate	dimenticaste	aveste dimenticato
3 dimentichino	dimenticassero	avessero dimenticato

PASSATO PROSSIMO	abbia dimenticato *etc*	

INFINITIVE	*GERUND*	*PAST PARTICIPLE*
PRESENT	dimenticando	dimenticato
dimenticare		
PAST		
aver(e) dimenticato		

DIPENDERE
to depend

73

	PRESENT	IMPERFECT	FUTURE
1	dipendo	dipendevo	dipenderò
2	dipendi	dipendevi	dipenderai
3	dipende	dipendeva	dipenderà
1	dipendiamo	dipendevamo	dipenderemo
2	dipendete	dipendevate	dipenderete
3	dipendono	dipendevano	dipenderanno

	PASSATO REMOTO	PASSATO PROSSIMO	PLUPERFECT
1	dipesi	sono dipeso/a	ero dipeso/a
2	dipendesti	sei dipeso/a	eri dipeso/a
3	dipese	è dipeso/a	era dipeso/a
1	dipendemmo	siamo dipesi/e	eravamo dipesi/e
2	dipendeste	siete dipesi/e	eravate dipesi/e
3	dipesero	sono dipesi/e	erano dipesi/e

PAST ANTERIOR	FUTURE PERFECT
fui dipeso/a *etc*	sarò dipeso/a *etc*

CONDITIONAL		*IMPERATIVE*

	PRESENT	PAST	
1	dipenderei	sarei dipeso/a	
2	dipenderesti	saresti dipeso/a	dipendi
3	dipenderebbe	sarebbe dipeso/a	dipenda
1	dipenderemmo	saremmo dipesi/e	dipendiamo
2	dipendereste	sareste dipesi/e	dipendete
3	dipenderebbero	sarebbero dipesi/e	dipendano

SUBJUNCTIVE

	PRESENT	IMPERFECT	PLUPERFECT
1	dipenda	dipendessi	fossi dipeso/a
2	dipenda	dipendessi	fossi dipeso/a
3	dipenda	dipendesse	fosse dipeso/a
1	dipendiamo	dipendessimo	fossimo dipesi/e
2	dipendiate	dipendeste	foste dipesi/e
3	dipendano	dipendessero	fossero dipesi/e

PASSATO PROSSIMO
sia dipeso/a *etc*

INFINITIVE	*GERUND*	*PAST PARTICIPLE*
PRESENT	dipendendo	dipeso/a/i/e
dipendere		
PAST		
esser(e) dipeso/a/i/e		

74 DIPINGERE
to paint, depict

PRESENT	IMPERFECT	FUTURE
1 dipingo	dipingevo	dipingerò
2 dipingi	dipingevi	dipingerai
3 dipinge	dipingeva	dipingerà
1 dipingiamo	dipingevamo	dipingeremo
2 dipingete	dipingevate	dipingerete
3 dipingono	dipingevano	dipingeranno

PASSATO REMOTO	PASSATO PROSSIMO	PLUPERFECT
1 dipinsi	ho dipinto	avevo dipinto
2 dipingesti	hai dipinto	avevi dipinto
3 dipinse	ha dipinto	aveva dipinto
1 dipingemmo	abbiamo dipinto	avevamo dipinto
2 dipingeste	avete dipinto	avevate dipinto
3 dipinsero	hanno dipinto	avevano dipinto

PAST ANTERIOR		FUTURE PERFECT
ebbi dipinto *etc*		avrò dipinto *etc*

CONDITIONAL | | IMPERATIVE

PRESENT	PAST	
1 dipingerei	avrei dipinto	
2 dipingeresti	avresti dipinto	dipingi
3 dipingerebbe	avrebbe dipinto	dipinga
1 dipingeremmo	avremmo dipinto	dipingiamo
2 dipingereste	avreste dipinto	dipingete
3 dipingerebbero	avrebbero dipinto	dipingano

SUBJUNCTIVE

PRESENT	IMPERFECT	PLUPERFECT
1 dipinga	dipingessi	avessi dipinto
2 dipinga	dipingessi	avessi dipinto
3 dipinga	dipingesse	avesse dipinto
1 dipingiamo	dipingessimo	avessimo dipinto
2 dipingiate	dipingeste	aveste dipinto
3 dipingano	dipingessero	avessero dipinto

PASSATO PROSSIMO	abbia dipinto *etc*

INFINITIVE	GERUND	PAST PARTICIPLE
PRESENT	dipingendo	dipinto
dipingere		
PAST		
aver(e) dipinto		

to say, tell

	PRESENT	IMPERFECT	FUTURE
1	dico	dicevo	dirò
2	dici	dicevi	dirai
3	dice	diceva	dirà
1	diciamo	dicevamo	diremo
2	dite	dicevate	direte
3	dicono	dicevano	diranno

	PASSATO REMOTO	PASSATO PROSSIMO	PLUPERFECT
1	dissi	ho detto	avevo detto
2	dicesti	hai detto	avevi detto
3	disse	ha detto	aveva detto
1	dicemmo	abbiamo detto	avevamo detto
2	diceste	avete detto	avevate detto
3	dissero	hanno detto	avevano detto

PAST ANTERIOR	FUTURE PERFECT
ebbi detto *etc*	avrò detto *etc*

CONDITIONAL		*IMPERATIVE*

	PRESENT	PAST	
1	direi	avrei detto	
2	diresti	avresti detto	di'
3	direbbe	avrebbe detto	dica
1	diremmo	avremmo detto	diciamo
2	direste	avreste detto	dite
3	direbbero	avrebbero detto	dicano

SUBJUNCTIVE

	PRESENT	IMPERFECT	PLUPERFECT
1	dica	dicessi	avessi detto
2	dica	dicessi	avessi detto
3	dica	dicesse	avesse detto
1	diciamo	dicessimo	avessimo detto
2	diciate	diceste	aveste detto
3	dicano	dicessero	avessero detto

PASSATO PROSSIMO	abbia detto *etc*

INFINITIVE	*GERUND*	*PAST PARTICIPLE*
PRESENT	dicendo	detto
dire		
PAST		
aver(e) detto		

DIRIGERE
to direct, address, manage

PRESENT	IMPERFECT	FUTURE
1 dirigo	dirigevo	dirigerò
2 dirigi	dirigevi	dirigerai
3 dirige	dirigeva	dirigerà
1 dirigiamo	dirigevamo	dirigeremo
2 dirigete	dirigevate	dirigerete
3 dirigono	dirigevano	dirigeranno

PASSATO REMOTO	PASSATO PROSSIMO	PLUPERFECT
1 diressi	ho diretto	avevo diretto
2 dirigesti	hai diretto	avevi diretto
3 diresse	ha diretto	aveva diretto
1 dirigemmo	abbiamo diretto	avevamo diretto
2 dirigeste	avete diretto	avevate diretto
3 diressero	hanno diretto	avevano diretto

PAST ANTERIOR	FUTURE PERFECT
ebbi diretto *etc*	avrò diretto *etc*

CONDITIONAL		IMPERATIVE

PRESENT	PAST	
1 dirigerei	avrei diretto	
2 dirigeresti	avresti diretto	dirigi
3 dirigerebbe	avrebbe diretto	diriga
1 dirigeremmo	avremmo diretto	dirigiamo
2 dirigereste	avreste diretto	dirigete
3 dirigerebbero	avrebbero diretto	dirigano

SUBJUNCTIVE

PRESENT	IMPERFECT	PLUPERFECT
1 diriga	dirigessi	avessi diretto
2 diriga	dirigessi	avessi diretto
3 diriga	dirigesse	avesse diretto
1 dirigiamo	dirigessimo	avessimo diretto
2 dirigiate	dirigeste	aveste diretto
3 dirigano	dirigessero	avessero diretto

PASSATO PROSSIMO	abbia diretto *etc*

INFINITIVE	GERUND	PAST PARTICIPLE
PRESENT	dirigendo	diretto
dirigere		
PAST		
aver(e) diretto		

DISCUTERE
to discuss

	PRESENT	IMPERFECT	FUTURE
1	discuto	discutevo	discuterò
2	discuti	discutevi	discuterai
3	discute	discuteva	discuterà
1	discutiamo	discutevamo	discuteremo
2	discutete	discutevate	discuterete
3	discutono	discutevano	discuteranno

	PASSATO REMOTO	PASSATO PROSSIMO	PLUPERFECT
1	discussi	ho discusso	avevo discusso
2	discutesti	hai discusso	avevi discusso
3	discusse	ha discusso	aveva discusso
1	discutemmo	abbiamo discusso	avevamo discusso
2	discuteste	avete discusso	avevate discusso
3	discussero	hanno discusso	avevano discusso

PAST ANTERIOR	FUTURE PERFECT
ebbi discusso *etc*	avrò discusso *etc*

CONDITIONAL		*IMPERATIVE*

	PRESENT	PAST	
1	discuterei	avrei discusso	
2	discuteresti	avresti discusso	discuti
3	discuterebbe	avrebbe discusso	discuta
1	discuteremmo	avremmo discusso	discutiamo
2	discutereste	avreste discusso	discutete
3	discuterebbero	avrebbero discusso	discutano

SUBJUNCTIVE

	PRESENT	IMPERFECT	PLUPERFECT
1	discuta	discutessi	avessi discusso
2	discuta	discutessi	avessi discusso
3	discuta	discutesse	avesse discusso
1	discutiamo	discutessimo	avessimo discusso
2	discutiate	discuteste	aveste discusso
3	discutano	discutessero	avessero discusso

PASSATO PROSSIMO	abbia discusso *etc*

INFINITIVE	*GERUND*	*PAST PARTICIPLE*
PRESENT	discutendo	discusso
discutere		
PAST		
aver(e) discusso		

DISTINGUERE
to distinguish

PRESENT	IMPERFECT	FUTURE
1 distinguo	distinguevo	distinguerò
2 distingui	distinguevi	distinguerai
3 distingue	distingueva	distinguerà
1 distinguiamo	distinguevamo	distingueremo
2 distinguete	distinguevate	distinguerete
3 distinguono	distinguevano	distingueranno

PASSATO REMOTO	PASSATO PROSSIMO	PLUPERFECT
1 distinsi	ho distinto	avevo distinto
2 distinguesti	hai distinto	avevi distinto
3 distinse	ha distinto	aveva distinto
1 distinguemmo	abbiamo distinto	avevamo distinto
2 distingueste	avete distinto	avevate distinto
3 distinsero	hanno distinto	avevano distinto

PAST ANTERIOR		FUTURE PERFECT
ebbi distinto *etc*		avrò distinto *etc*

CONDITIONAL		*IMPERATIVE*

PRESENT	PAST	
1 distinguerei	avrei distinto	
2 distingueresti	avresti distinto	distingui
3 distinguerebbe	avrebbe distinto	distingua
1 distingueremmo	avremmo distinto	distinguiamo
2 distinguereste	avreste distinto	distinguete
3 distinguerebbero	avrebbero distinto	distinguano

SUBJUNCTIVE

PRESENT	IMPERFECT	PLUPERFECT
1 distingua	distinguessi	avessi distinto
2 distingua	distinguessi	avessi distinto
3 distingua	distinguesse	avesse distinto
1 distinguiamo	distinguessimo	avessimo distinto
2 distinguiate	distingueste	aveste distinto
3 distinguano	distinguessero	avessero distinto

PASSATO PROSSIMO	abbia distinto *etc*

INFINITIVE	*GERUND*	*PAST PARTICIPLE*
PRESENT	distinguendo	distinto
distinguere		
PAST		
aver(e) distinto		

DISTRUGGERE
to destroy

PRESENT	IMPERFECT	FUTURE
1 distruggo	distruggevo	distruggerò
2 distruggi	distruggevi	distruggerai
3 distrugge	distruggeva	distruggerà
1 distruggiamo	distruggevamo	distruggeremo
2 distruggete	distruggevate	distruggerete
3 distruggono	distruggevano	distruggeranno

PASSATO REMOTO	PASSATO PROSSIMO	PLUPERFECT
1 distrussi	ho distrutto	avevo distrutto
2 distruggesti	hai distrutto	avevi distrutto
3 distrusse	ha distrutto	aveva distrutto
1 distruggemmo	abbiamo distrutto	avevamo distrutto
2 distruggeste	avete distrutto	avevate distrutto
3 distrussero	hanno distrutto	avevano distrutto

PAST ANTERIOR	FUTURE PERFECT
ebbi distrutto *etc*	avrò distrutto *etc*

CONDITIONAL		*IMPERATIVE*

PRESENT	PAST	
1 distruggerei	avrei distrutto	
2 distruggeresti	avresti distrutto	distruggi
3 distruggerebbe	avrebbe distrutto	distrugga
1 distruggeremmo	avremmo distrutto	distruggiamo
2 distruggereste	avreste distrutto	distruggete
3 distruggerebbero	avrebbero distrutto	distruggano

SUBJUNCTIVE

PRESENT	IMPERFECT	PLUPERFECT
1 distrugga	distruggessi	avessi distrutto
2 distrugga	distruggessi	avessi distrutto
3 distrugga	distruggesse	avesse distrutto
1 distruggiamo	distruggessimo	avessimo distrutto
2 distruggiate	distruggeste	aveste distrutto
3 distruggano	distruggessero	avessero distrutto

PASSATO PROSSIMO	abbia distrutto *etc*

INFINITIVE	*GERUND*	*PAST PARTICIPLE*
PRESENT	distruggendo	distrutto
distruggere		
PAST		
aver(e) distrutto		

DIVENTARE
to become

PRESENT	IMPERFECT	FUTURE
1 divento	diventavo	diventerò
2 diventi	diventavi	diventerai
3 diventa	diventava	diventerà
1 diventiamo	diventavamo	diventeremo
2 diventate	diventavate	diventerete
3 diventano	diventavano	diventeranno

PASSATO REMOTO	PASSATO PROSSIMO	PLUPERFECT
1 diventai	sono diventato/a	ero diventato/a
2 diventasti	sei diventato/a	eri diventato/a
3 diventò	è diventato/a	era diventato/a
1 diventammo	siamo diventati/e	eravamo diventati/e
2 diventaste	siete diventati/e	eravate diventati/e
3 diventarono	sono diventati/e	erano diventati/e

PAST ANTERIOR		FUTURE PERFECT
fui diventato/a *etc*		sarò diventato/a *etc*

CONDITIONAL

IMPERATIVE

PRESENT	PAST	
1 diventerei	sarei diventato/a	
2 diventeresti	saresti diventato/a	diventa
3 diventerebbe	sarebbe diventato/a	diventi
1 diventeremmo	saremmo diventati/e	diventiamo
2 diventereste	sareste diventati/e	diventate
3 diventerebbero	sarebbero diventati/e	diventino

SUBJUNCTIVE

PRESENT	IMPERFECT	PLUPERFECT
1 diventi	diventassi	fossi diventato/a
2 diventi	diventassi	fossi diventato/a
3 diventi	diventasse	fosse diventato/a
1 diventiamo	diventassimo	fossimo diventati/e
2 diventiate	diventaste	foste diventati/e
3 diventino	diventassero	fossero diventati/e

PASSATO PROSSIMO		
sia diventato/a *etc*		

INFINITIVE

GERUND

PAST PARTICIPLE

PRESENT	diventando	diventato/a/i/e
diventare		
PAST		
esser(e) diventato/a/i/e		

to enjoy oneself

PRESENT	IMPERFECT	FUTURE
1 mi diverto	mi divertivo	mi divertirò
2 ti diverti	ti divertivi	ti divertirai
3 si diverte	si divertiva	si divertirà
1 ci divertiamo	ci divertivamo	ci divertiremo
2 vi divertite	vi divertivate	vi divertirete
3 si divertono	si divertivano	si divertiranno

PASSATO REMOTO	PASSATO PROSSIMO	PLUPERFECT
1 mi divertii	mi sono divertito/a	mi ero divertito/a
2 ti divertisti	ti sei divertito/a	ti eri divertito/a
3 si divertì	si è divertito/a	si era divertito/a
1 ci divertimmo	ci siamo divertiti/e	ci eravamo divertiti/e
2 vi divertiste	vi siete divertiti/e	vi eravate divertiti/e
3 si divertirono	si sono divertiti/e	si erano divertiti/e

PAST ANTERIOR		FUTURE PERFECT
mi fui divertito/a *etc*		mi sarò divertito/a *etc*

CONDITIONAL

IMPERATIVE

PRESENT	PAST	
1 mi divertirei	mi sarei divertito/a	
2 ti divertiresti	ti saresti divertito/a	divertiti
3 si divertirebbe	si sarebbe divertito/a	si diverta
1 ci divertiremmo	ci saremmo divertiti/e	divertiamoci
2 vi divertireste	vi sareste divertiti/e	divertitevi
3 si divertirebbero	si sarebbero divertiti/e	si divertano

SUBJUNCTIVE

PRESENT	IMPERFECT	PLUPERFECT
1 mi diverta	mi divertissi	mi fossi divertito/a
2 ti diverta	ti divertissi	ti fossi divertito/a
3 si diverta	si divertisse	si fosse divertito/a
1 ci divertiamo	ci divertissimo	ci fossimo divertiti/e
2 vi divertiate	vi divertiste	vi foste divertiti/e
3 si divertano	si divertissero	si fossero divertiti/e

PASSATO PROSSIMO	mi sia divertito/a *etc*

INFINITIVE	GERUND	PAST PARTICIPLE
PRESENT	divertendomi *etc*	divertito/a/i/e
divertirsi		
PAST		
essersi divertito/a/i/e		

82 DIVIDERE
to divide

PRESENT	IMPERFECT	FUTURE
1 divido	dividevo	dividerò
2 dividi	dividevi	dividerai
3 divide	divideva	dividerà
1 dividiamo	dividevamo	divideremo
2 dividete	dividevate	dividerete
3 dividono	dividevano	divideranno

PASSATO REMOTO	PASSATO PROSSIMO	PLUPERFECT
1 divisi	ho diviso	avevo diviso
2 dividesti	hai diviso	avevi diviso
3 divise	ha diviso	aveva diviso
1 dividemmo	abbiamo diviso	avevamo diviso
2 divideste	avete diviso	avevate diviso
3 divisero	hanno diviso	avevano diviso

PAST ANTERIOR		FUTURE PERFECT
ebbi diviso *etc*		avrò diviso *etc*

CONDITIONAL		*IMPERATIVE*

PRESENT	PAST	
1 dividerei	avrei diviso	
2 divideresti	avresti diviso	dividi
3 dividerebbe	avrebbe diviso	divida
1 divideremmo	avremmo diviso	dividiamo
2 dividereste	avreste diviso	dividete
3 dividerebbero	avrebbero diviso	dividano

SUBJUNCTIVE

PRESENT	IMPERFECT	PLUPERFECT
1 divida	dividessi	avessi diviso
2 divida	dividessi	avessi diviso
3 divida	dividesse	avesse diviso
1 dividiamo	dividessimo	avessimo diviso
2 dividiate	divideste	aveste diviso
3 dividano	dividessero	avessero diviso

PASSATO PROSSIMO	abbia diviso *etc*	

INFINITIVE	*GERUND*	*PAST PARTICIPLE*
PRESENT	dividendo	diviso
dividere		
PAST		
aver(e) diviso		

DOLERE
to ache

PRESENT	IMPERFECT	FUTURE
1 dolgo	dolevo	dorrò
2 duoli	dolevi	dorrai
3 duole	doleva	dorrà
1 doliamo/dogliamo	dolevamo	dorremo
2 dolete	dolevate	dorrete
3 dolgono	dolevano	dorranno

PASSATO REMOTO	PASSATO PROSSIMO	PLUPERFECT
1 dolsi	sono doluto/a	ero doluto/a
2 dolesti	sei doluto/a	eri doluto/a
3 dolse	è doluto/a	era doluto/a
1 dolemmo	siamo doluti/e	eravamo doluti/e
2 doleste	siete doluti/e	eravate doluti/e
3 dolsero	sono doluti/e	erano doluti/e

PAST ANTERIOR	FUTURE PERFECT
fui doluto/a *etc*	sarò doluto/a *etc*

CONDITIONAL		*IMPERATIVE*
PRESENT	**PAST**	
1 dorrei	sarei doluto/a	
2 dorresti	saresti doluto/a	duoli
3 dorrebbe	sarebbe doluto/a	dolga
1 dorremmo	saremmo doluti/e	doliamo/dogliamo
2 dorreste	sareste doluti/e	dolete
3 dorrebbero	sarebbero doluti/e	dolgano

SUBJUNCTIVE

PRESENT	IMPERFECT	PLUPERFECT
1 dolga	dolessi	fossi doluto/a
2 dolga	dolessi	fossi doluto/a
3 dolga	dolesse	fosse doluto/a
1 doliamo/dogliamo	dolessimo	fossimo doluti/e
2 doliate/dogliate	doleste	foste doluti/e
3 dolgano	dolessero	fossero doluti/e

PASSATO PROSSIMO	sia doluto/a *etc*

INFINITIVE	*GERUND*	*PAST PARTICIPLE*
PRESENT	dolendo	doluto/a/i/e
dolere		
PAST		
esser(e) doluto/a/i/e	NOTE: 'dolere' may also take 'avere' as its auxiliary	

DOMANDARE
to ask

PRESENT	IMPERFECT	FUTURE
1 domando	domandavo	domanderò
2 domandi	domandavi	domanderai
3 domanda	domandava	domanderà
1 domandiamo	domandavamo	domanderemo
2 domandate	domandavate	domanderete
3 domandano	domandavano	domanderanno

PASSATO REMOTO	PASSATO PROSSIMO	PLUPERFECT
1 domandai	ho domandato	avevo domandato
2 domandasti	hai domandato	avevi domandato
3 domandò	ha domandato	aveva domandato
1 domandammo	abbiamo domandato	avevamo domandato
2 domandaste	avete domandato	avevate domandato
3 domandarono	hanno domandato	avevano domandato

PAST ANTERIOR		FUTURE PERFECT
ebbi domandato *etc*		avrò domandato *etc*

CONDITIONAL		*IMPERATIVE*

PRESENT	PAST	
1 domanderei	avrei domandato	
2 domanderesti	avresti domandato	domanda
3 domanderebbe	avrebbe domandato	domandi
1 domanderemmo	avremmo domandato	domandiamo
2 domandereste	avreste domandato	domandate
3 domanderebbero	avrebbero domandato	domandino

SUBJUNCTIVE		

PRESENT	IMPERFECT	PLUPERFECT
1 domandi	domandassi	avessi domandato
2 domandi	domandassi	avessi domandato
3 domandi	domandasse	avesse domandato
1 domandiamo	domandassimo	avessimo domandato
2 domandiate	domandaste	aveste domandato
3 domandino	domandassero	avessero domandato

PASSATO PROSSIMO	abbia domandato *etc*	

INFINITIVE	*GERUND*	*PAST PARTICIPLE*
PRESENT domandare	domandando	domandato
PAST aver(e) domandato		

DORMIRE
to sleep

	PRESENT	IMPERFECT	FUTURE
1	dormo	dormivo	dormirò
2	dormi	dormivi	dormirai
3	dorme	dormiva	dormirà
1	dormiamo	dormivamo	dormiremo
2	dormite	dormivate	dormirete
3	dormono	dormivano	dormiranno

	PASSATO REMOTO	PASSATO PROSSIMO	PLUPERFECT
1	dormii	ho dormito	avevo dormito
2	dormisti	hai dormito	avevi dormito
3	dormì	ha dormito	aveva dormito
1	dormimmo	abbiamo dormito	avevamo dormito
2	dormiste	avete dormito	avevate dormito
3	dormirono	hanno dormito	avevano dormito

PAST ANTERIOR	FUTURE PERFECT
ebbi dormito *etc*	avrò dormito *etc*

CONDITIONAL		*IMPERATIVE*

	PRESENT	PAST	
1	dormirei	avrei dormito	
2	dormiresti	avresti dormito	dormi
3	dormirebbe	avrebbe dormito	dorma
1	dormiremmo	avremmo dormito	dormiamo
2	dormireste	avreste dormito	dormite
3	dormirebbero	avrebbero dormito	dormano

SUBJUNCTIVE

	PRESENT	IMPERFECT	PLUPERFECT
1	dorma	dormissi	avessi dormito
2	dorma	dormissi	avessi dormito
3	dorma	dormisse	avesse dormito
1	dormiamo	dormissimo	avessimo dormito
2	dormiate	dormiste	aveste dormito
3	dormano	dormissero	avessero dormito

PASSATO PROSSIMO	abbia dormito *etc*

INFINITIVE	*GERUND*	*PAST PARTICIPLE*
PRESENT	dormendo	dormito
dormire		
PAST		
aver(e) dormito		

DOVERE
to have to, owe

PRESENT	IMPERFECT	FUTURE
1 devo/debbo	dovevo	dovrò
2 devi	dovevi	dovrai
3 deve	doveva	dovrà
1 dobbiamo	dovevamo	dovremo
2 dovete	dovevate	dovrete
3 devono/debbono	dovevano	dovranno

PASSATO REMOTO	PASSATO PROSSIMO	PLUPERFECT
1 dovei/dovetti	ho dovuto	avevo dovuto
2 dovesti	hai dovuto	avevi dovuto
3 dové/dovette	ha dovuto	aveva dovuto
1 dovemmo	abbiamo dovuto	avevamo dovuto
2 doveste	avete dovuto	avevate dovuto
3 doverono/dovettero	hanno dovuto	avevano dovuto

PAST ANTERIOR		FUTURE PERFECT
ebbi dovuto *etc*		avrò dovuto *etc*

CONDITIONAL		*IMPERATIVE*

PRESENT	PAST	
1 dovrei	avrei dovuto	
2 dovresti	avresti dovuto	
3 dovrebbe	avrebbe dovuto	
1 dovremmo	avremmo dovuto	
2 dovreste	avreste dovuto	
3 dovrebbero	avrebbero dovuto	

SUBJUNCTIVE		

PRESENT	IMPERFECT	PLUPERFECT
1 deva/debba	dovessi	avessi dovuto
2 deva/debba	dovessi	avessi dovuto
3 deva/debba	dovesse	avesse dovuto
1 dobbiamo	dovessimo	avessimo dovuto
2 dobbiate	doveste	aveste dovuto
3 devano/debbano	dovessero	avessero dovuto

PASSATO PROSSIMO	abbia dovuto *etc*	

INFINITIVE	*GERUND*	*PAST PARTICIPLE*
PRESENT	dovendo	dovuto
dovere	**NOTE:** in compound tenses 'dovere' takes the same auxiliary	
PAST	as the following verb, eg: I had to go = sono dovuto/a	
aver(e) dovuto	andare; I had to read = ho dovuto leggere	

DURARE
to last, endure

PRESENT	IMPERFECT	FUTURE
1 duro	duravo	durerò
2 duri	duravi	durerai
3 dura	durava	durerà
1 duriamo	duravamo	dureremo
2 durate	duravate	durerete
3 durano	duravano	dureranno

PASSATO REMOTO	PASSATO PROSSIMO	PLUPERFECT
1 durai	sono durato/a	ero durato/a
2 durasti	sei durato/a	eri durato/a
3 durò	è durato/a	era durato/a
1 durammo	siamo durati/e	eravamo durati/e
2 duraste	siete durati/e	eravate durati/e
3 durarono	sono durati/e	erano durati/e

PAST ANTERIOR	FUTURE PERFECT
fui durato/a *etc*	sarò durato/a *etc*

CONDITIONAL		*IMPERATIVE*

PRESENT	PAST	
1 durerei	sarei durato/a	
2 dureresti	saresti durato/a	dura
3 durerebbe	sarebbe durato/a	duri
1 dureremmo	saremmo durati/e	duriamo
2 durereste	sareste durati/e	durate
3 durerebbero	sarebbero durati/e	durino

SUBJUNCTIVE		

PRESENT	IMPERFECT	PLUPERFECT
1 duri	durassi	fossi durato/a
2 duri	durassi	fossi durato/a
3 duri	durasse	fosse durato/a
1 duriamo	durassimo	fossimo durati/e
2 duriate	duraste	foste durati/e
3 durino	durassero	fossero durati/e

PASSATO PROSSIMO	sia durato/a *etc*

INFINITIVE	*GERUND*	*PAST PARTICIPLE*
PRESENT	durando	durato/a/i/e
durare		
PAST	NOTE: when it means 'to endure' and has a direct	
esser(e) durato/a/i/e	object 'durare' uses 'avere' as auxiliary	

EMERGERE
to emerge

PRESENT	IMPERFECT	FUTURE
1 emergo	emergevo	emergerò
2 emergi	emergevi	emergerai
3 emerge	emergeva	emergerà
1 emergiamo	emergevamo	emergeremo
2 emergete	emergevate	emergerete
3 emergono	emergevano	emergeranno

PASSATO REMOTO	PASSATO PROSSIMO	PLUPERFECT
1 emersi	sono emerso/a	ero emerso/a
2 emergesti	sei emerso/a	eri emerso/a
3 emerse	è emerso/a	era emerso/a
1 emergemmo	siamo emersi/e	eravamo emersi/e
2 emergeste	siete emersi/e	eravate emersi/e
3 emersero	sono emersi/e	erano emersi/e

PAST ANTERIOR	FUTURE PERFECT
fui emerso/a *etc*	sarò emerso/a *etc*

CONDITIONAL		*IMPERATIVE*

PRESENT	PAST	
1 emergerei	sarei emerso/a	
2 emergeresti	saresti emerso/a	emergi
3 emergerebbe	sarebbe emerso/a	emerga
1 emergeremmo	saremmo emersi/e	emergiamo
2 emergereste	sareste emersi/e	emergete
3 emergerebbero	sarebbero emersi/e	emergano

SUBJUNCTIVE		

PRESENT	IMPERFECT	PLUPERFECT
1 emerga	emergessi	fossi emerso/a
2 emerga	emergessi	fossi emerso/a
3 emerga	emergesse	fosse emerso/a
1 emergiamo	emergessimo	fossimo emersi/e
2 emergiate	emergeste	foste emersi/e
3 emergano	emergessero	fossero emersi/e

PASSATO PROSSIMO		
sia emerso/a *etc*		

INFINITIVE	*GERUND*	*PAST PARTICIPLE*
PRESENT	emergendo	emerso/a/i/e
emergere		
PAST		
esser(e) emerso/a/i/e		

ENTRARE
to enter, go into

	PRESENT	IMPERFECT	FUTURE
1	entro	entravo	entrerò
2	entri	entravi	entrerai
3	entra	entrava	entrerà
1	entriamo	entravamo	entreremo
2	entrate	entravate	entrerete
3	entrano	entravano	entreranno

	PASSATO REMOTO	PASSATO PROSSIMO	PLUPERFECT
1	entrai	sono entrato/a	ero entrato/a
2	entrasti	sei entrato/a	eri entrato/a
3	entrò	è entrato/a	era entrato/a
1	entrammo	siamo entrati/e	eravamo entrati/e
2	entraste	siete entrati/e	eravate entrati/e
3	entrarono	sono entrati/e	erano entrati/e

PAST ANTERIOR	FUTURE PERFECT
fui entrato/a *etc*	sarò entrato/a *etc*

CONDITIONAL

	PRESENT	PAST	IMPERATIVE
1	entrerei	sarei entrato/a	
2	entreresti	saresti entrato/a	entra
3	entrerebbe	sarebbe entrato/a	entri
1	entreremmo	saremmo entrati/e	entriamo
2	entrereste	sareste entrati/e	entrate
3	entrerebbero	sarebbero entrati/e	entrino

SUBJUNCTIVE

	PRESENT	IMPERFECT	PLUPERFECT
1	entri	entrassi	fossi entrato/a
2	entri	entrassi	fossi entrato/a
3	entri	entrasse	fosse entrato/a
1	entriamo	entrassimo	fossimo entrati/e
2	entriate	entraste	foste entrati/e
3	entrino	entrassero	fossero entrati/e

PASSATO PROSSIMO	sia entrato/a *etc*

INFINITIVE	GERUND	PAST PARTICIPLE
PRESENT entrare	entrando	entrato/a/i/e
PAST esser(e) entrato/a/i/e		

ESCLUDERE
to exclude

PRESENT	IMPERFECT	FUTURE
1 escludo	escludevo	escluderò
2 escludi	escludevi	escluderai
3 esclude	escludeva	escluderà
1 escludiamo	escludevamo	escluderemo
2 escludete	escludevate	escluderete
3 escludono	escludevano	escluderanno

PASSATO REMOTO	PASSATO PROSSIMO	PLUPERFECT
1 esclusi	ho escluso	avevo escluso
2 escludesti	hai escluso	avevi escluso
3 escluse	ha escluso	aveva escluso
1 escludemmo	abbiamo escluso	avevamo escluso
2 escludeste	avete escluso	avevate escluso
3 esclusero	hanno escluso	avevano escluso

PAST ANTERIOR		FUTURE PERFECT
ebbi escluso *etc*		avrò escluso *etc*

CONDITIONAL		*IMPERATIVE*
PRESENT	**PAST**	
1 escluderei	avrei escluso	
2 escluderesti	avresti escluso	escludi
3 escluderebbe	avrebbe escluso	escluda
1 escluderemmo	avremmo escluso	escludiamo
2 escludereste	avreste escluso	escludete
3 escluderebbero	avrebbero escluso	escludano

SUBJUNCTIVE

PRESENT	IMPERFECT	PLUPERFECT
1 escluda	escludessi	avessi escluso
2 escluda	escludessi	avessi escluso
3 escluda	escludesse	avesse escluso
1 escludiamo	escludessimo	avessimo escluso
2 escludiate	escludeste	aveste escluso
3 escludano	escludessero	avessero escluso

PASSATO PROSSIMO	abbia escluso *etc*

INFINITIVE	*GERUND*	*PAST PARTICIPLE*
PRESENT	escludendo	escluso
escludere		
PAST		
aver(e) escluso		

ESPELLERE
to expel

PRESENT	IMPERFECT	FUTURE
1 espello	espellevo	espellerò
2 espelli	espellevi	espellerai
3 espelle	espelleva	espellerà
1 espelliamo	espellevamo	espelleremo
2 espellete	espellevate	espellerete
3 espellono	espellevano	espelleranno

PASSATO REMOTO	PASSATO PROSSIMO	PLUPERFECT
1 espulsi	ho espulso	avevo espulso
2 espellesti	hai espulso	avevi espulso
3 espulse	ha espulso	aveva espulso
1 espellemmo	abbiamo espulso	avevamo espulso
2 espelleste	avete espulso	avevate espulso
3 espulsero	hanno espulso	avevano espulso

PAST ANTERIOR	FUTURE PERFECT
ebbi espulso *etc*	avrò espulso *etc*

CONDITIONAL		*IMPERATIVE*
PRESENT	**PAST**	
1 espellerei	avrei espulso	
2 espelleresti	avresti espulso	espelli
3 espellerebbe	avrebbe espulso	espella
1 espelleremmo	avremmo espulso	espelliamo
2 espellereste	avreste espulso	espellete
3 espellerebbero	avrebbero espulso	espellano

SUBJUNCTIVE

PRESENT	IMPERFECT	PLUPERFECT
1 espella	espellessi	avessi espulso
2 espella	espellessi	avessi espulso
3 espella	espellesse	avesse espulso
1 espelliamo	espellessimo	avessimo espulso
2 espelliate	espelleste	aveste espulso
3 espellano	espellessero	avessero espulso

PASSATO PROSSIMO	abbia espulso *etc*

INFINITIVE	*GERUND*	*PAST PARTICIPLE*
PRESENT	espellendo	espulso
espellere		
PAST		
aver(e) espulso		

ESPRIMERE
to express

PRESENT	IMPERFECT	FUTURE
1 esprimo	esprimevo	esprimerò
2 esprimi	esprimevi	esprimerai
3 esprime	esprimeva	esprimerà
1 esprimiamo	esprimevamo	esprimeremo
2 esprimete	esprimevate	esprimerete
3 esprimono	esprimevano	esprimeranno

PASSATO REMOTO	PASSATO PROSSIMO	PLUPERFECT
1 espressi	ho espresso	avevo espresso
2 esprimesti	hai espresso	avevi espresso
3 espresse	ha espresso	aveva espresso
1 esprimemmo	abbiamo espresso	avevamo espresso
2 esprimeste	avete espresso	avevate espresso
3 espressero	hanno espresso	avevano espresso

PAST ANTERIOR		FUTURE PERFECT
ebbi espresso *etc*		avrò espresso *etc*

CONDITIONAL		*IMPERATIVE*

PRESENT	PAST	
1 esprimerei	avrei espresso	
2 esprimeresti	avresti espresso	esprimi
3 esprimerebbe	avrebbe espresso	esprima
1 esprimeremmo	avremmo espresso	esprimiamo
2 esprimereste	avreste espresso	esprimete
3 esprimerebbero	avrebbero espresso	esprimano

SUBJUNCTIVE

PRESENT	IMPERFECT	PLUPERFECT
1 esprima	esprimessi	avessi espresso
2 esprima	esprimessi	avessi espresso
3 esprima	esprimesse	avesse espresso
1 esprimiamo	esprimessimo	avessimo espresso
2 esprimiate	esprimeste	aveste espresso
3 esprimano	esprimessero	avessero espresso

PASSATO PROSSIMO	abbia espresso *etc*	

INFINITIVE	*GERUND*	*PAST PARTICIPLE*
PRESENT	esprimendo	espresso
esprimere		
PAST		
aver(e) espresso		

PRESENT	IMPERFECT	FUTURE
1 sono	ero	sarò
2 sei	eri	sarai
3 è	era	sarà
1 siamo	eravamo	saremo
2 siete	eravate	sarete
3 sono	erano	saranno

PASSATO REMOTO	PASSATO PROSSIMO	PLUPERFECT
1 fui	sono stato/a	ero stato/a
2 fosti	sei stato/a	eri stato/a
3 fu	è stato/a	era stato/a
1 fummo	siamo stati/e	eravamo stati/e
2 foste	siete stati/e	eravate stati/e
3 furono	sono stati/e	erano stati/e

PAST ANTERIOR		FUTURE PERFECT
fui stato/a *etc*		sarò stato/a *etc*

CONDITIONAL		*IMPERATIVE*

PRESENT	PAST	
1 sarei	sarei stato/a	
2 saresti	saresti stato/a	sii
3 sarebbe	sarebbe stato/a	sia
1 saremmo	saremmo stati/e	siamo
2 sareste	sareste stati/e	siate
3 sarebbero	sarebbero stati/e	siano

SUBJUNCTIVE

PRESENT	IMPERFECT	PLUPERFECT
1 sia	fossi	fossi stato/a
2 sia	fossi	fossi stato/a
3 sia	fosse	fosse stato/a
1 siamo	fossimo	fossimo stati/e
2 siate	foste	foste stati/e
3 siano	fossero	fossero stati/e

PASSATO PROSSIMO	sia stato/a *etc*	

INFINITIVE	*GERUND*	*PAST PARTICIPLE*
PRESENT essere	essendo	stato/a/i/e
PAST esser(e) stato/a/i/e		

EVITARE
to avoid

PRESENT	IMPERFECT	FUTURE
1 evito	evitavo	eviterò
2 eviti	evitavi	eviterai
3 evita	evitava	eviterà
1 evitiamo	evitavamo	eviteremo
2 evitate	evitavate	eviterete
3 evitano	evitavano	eviteranno

PASSATO REMOTO	PASSATO PROSSIMO	PLUPERFECT
1 evitai	ho evitato	avevo evitato
2 evitasti	hai evitato	avevi evitato
3 evitò	ha evitato	aveva evitato
1 evitammo	abbiamo evitato	avevamo evitato
2 evitaste	avete evitato	avevate evitato
3 evitarono	hanno evitato	avevano evitato

PAST ANTERIOR	FUTURE PERFECT
ebbi evitato *etc*	avrò evitato *etc*

CONDITIONAL		*IMPERATIVE*

PRESENT	PAST	
1 eviterei	avrei evitato	
2 eviteresti	avresti evitato	evita
3 eviterebbe	avrebbe evitato	eviti
1 eviteremmo	avremmo evitato	evitiamo
2 evitereste	avreste evitato	evitate
3 eviterebbero	avrebbero evitato	evitino

SUBJUNCTIVE

PRESENT	IMPERFECT	PLUPERFECT
1 eviti	evitassi	avessi evitato
2 eviti	evitassi	avessi evitato
3 eviti	evitasse	avesse evitato
1 evitiamo	evitassimo	avessimo evitato
2 evitiate	evitaste	aveste evitato
3 evitino	evitassero	avessero evitato

PASSATO PROSSIMO	abbia evitato *etc*

INFINITIVE	*GERUND*	*PAST PARTICIPLE*
PRESENT	evitando	evitato
evitare		
PAST		
aver(e) evitato		

PRESENT	IMPERFECT	FUTURE
1 faccio	facevo	farò
2 fai	facevi	farai
3 fa	faceva	farà
1 facciamo	facevamo	faremo
2 fate	facevate	farete
3 fanno	facevano	faranno

PASSATO REMOTO	PASSATO PROSSIMO	PLUPERFECT
1 feci	ho fatto	avevo fatto
2 facesti	hai fatto	avevi fatto
3 fece	ha fatto	aveva fatto
1 facemmo	abbiamo fatto	avevamo fatto
2 faceste	avete fatto	avevate fatto
3 fecero	hanno fatto	avevano fatto

PAST ANTERIOR	FUTURE PERFECT
ebbi fatto *etc*	avrò fatto *etc*

CONDITIONAL		*IMPERATIVE*
PRESENT	**PAST**	
1 farei	avrei fatto	
2 faresti	avresti fatto	fa/fai/fa'
3 farebbe	avrebbe fatto	faccia
1 faremmo	avremmo fatto	facciamo
2 fareste	avreste fatto	fate
3 farebbero	avrebbero fatto	facciano

SUBJUNCTIVE

PRESENT	IMPERFECT	PLUPERFECT
1 faccia	facessi	avessi fatto
2 faccia	facessi	avessi fatto
3 faccia	facesse	avesse fatto
1 facciamo	facessimo	avessimo fatto
2 facciate	faceste	aveste fatto
3 facciano	facessero	avessero fatto

PASSATO PROSSIMO	abbia fatto *etc*

INFINITIVE	*GERUND*	*PAST PARTICIPLE*
PRESENT	facendo	fatto
fare		
PAST		
aver(e) fatto		

FERMARE
to stop

PRESENT	IMPERFECT	FUTURE
1 fermo	fermavo	fermerò
2 fermi	fermavi	fermerai
3 ferma	fermava	fermerà
1 fermiamo	fermavamo	fermeremo
2 fermate	fermavate	fermerete
3 fermano	fermavano	fermeranno

PASSATO REMOTO	PASSATO PROSSIMO	PLUPERFECT
1 fermai	ho fermato	avevo fermato
2 fermasti	hai fermato	avevi fermato
3 fermò	ha fermato	aveva fermato
1 fermammo	abbiamo fermato	avevamo fermato
2 fermaste	avete fermato	avevate fermato
3 fermarono	hanno fermato	avevano fermato

PAST ANTERIOR	FUTURE PERFECT
ebbi fermato *etc*	avrò fermato *etc*

CONDITIONAL		*IMPERATIVE*

PRESENT	PAST	
1 fermerei	avrei fermato	
2 fermeresti	avresti fermato	ferma
3 fermerebbe	avrebbe fermato	fermi
1 fermeremmo	avremmo fermato	fermiamo
2 fermereste	avreste fermato	fermate
3 fermerebbero	avrebbero fermato	fermino

SUBJUNCTIVE

PRESENT	IMPERFECT	PLUPERFECT
1 fermi	fermassi	avessi fermato
2 fermi	fermassi	avessi fermato
3 fermi	fermasse	avesse fermato
1 fermiamo	fermassimo	avessimo fermato
2 fermiate	fermaste	aveste fermato
3 fermino	fermassero	avessero fermato

PASSATO PROSSIMO	abbia fermato *etc*

INFINITIVE	*GERUND*	*PAST PARTICIPLE*
PRESENT fermare	fermando	fermato
PAST aver(e) fermato		

FINGERE
to pretend

	PRESENT	IMPERFECT	FUTURE
1	fingo	fingevo	fingerò
2	fingi	fingevi	fingerai
3	finge	fingeva	fingerà
1	fingiamo	fingevamo	fingeremo
2	fingete	fingevate	fingerete
3	fingono	fingevano	fingeranno

	PASSATO REMOTO	PASSATO PROSSIMO	PLUPERFECT
1	finsi	ho finto	avevo finto
2	fingesti	hai finto	avevi finto
3	finse	ha finto	aveva finto
1	fingemmo	abbiamo finto	avevamo finto
2	fingeste	avete finto	avevate finto
3	finsero	hanno finto	avevano finto

PAST ANTERIOR	FUTURE PERFECT
ebbi finto *etc*	avrò finto *etc*

CONDITIONAL		*IMPERATIVE*

	PRESENT	PAST	
1	fingerei	avrei finto	
2	fingeresti	avresti finto	fingi
3	fingerebbe	avrebbe finto	finga
1	fingeremmo	avremmo finto	fingiamo
2	fingereste	avreste finto	fingete
3	fingerebbero	avrebbero finto	fingano

SUBJUNCTIVE

	PRESENT	IMPERFECT	PLUPERFECT
1	finga	fingessi	avessi finto
2	finga	fingessi	avessi finto
3	finga	fingesse	avesse finto
1	fingiamo	fingessimo	avessimo finto
2	fingiate	fingeste	aveste finto
3	fingano	fingessero	avessero finto

PASSATO PROSSIMO	abbia finto *etc*

INFINITIVE	*GERUND*	*PAST PARTICIPLE*
PRESENT	fingendo	finto
fingere		
PAST		
aver(e) finto		

FINIRE
to finish, end

PRESENT	IMPERFECT	FUTURE
1 finisco	finivo	finirò
2 finisci	finivi	finirai
3 finisce	finiva	finirà
1 finiamo	finivamo	finiremo
2 finite	finivate	finirete
3 finiscono	finivano	finiranno

PASSATO REMOTO	PASSATO PROSSIMO	PLUPERFECT
1 finii	ho finito	avevo finito
2 finisti	hai finito	avevi finito
3 finì	ha finito	aveva finito
1 finimmo	abbiamo finito	avevamo finito
2 finiste	avete finito	avevate finito
3 finirono	hanno finito	avevano finito

PAST ANTERIOR	FUTURE PERFECT
ebbi finito *etc*	avrò finito *etc*

CONDITIONAL		*IMPERATIVE*
PRESENT	**PAST**	
1 finirei	avrei finito	
2 finiresti	avresti finito	finisci
3 finirebbe	avrebbe finito	finisca
1 finiremmo	avremmo finito	finiamo
2 finireste	avreste finito	finite
3 finirebbero	avrebbero finito	finiscano

SUBJUNCTIVE

PRESENT	IMPERFECT	PLUPERFECT
1 finisca	finissi	avessi finito
2 finisca	finissi	avessi finito
3 finisca	finisse	avesse finito
1 finiamo	finissimo	avessimo finito
2 finiate	finiste	aveste finito
3 finiscano	finissero	avessero finito

PASSATO PROSSIMO	abbia finito *etc*

INFINITIVE	*GERUND*	*PAST PARTICIPLE*
PRESENT	finendo	finito
finire		
PAST		
aver(e) finito		

FORNIRE
to supply

PRESENT	IMPERFECT	FUTURE
1 fornisco	fornivo	fornirò
2 fornisci	fornivi	fornirai
3 fornisce	forniva	fornirà
1 forniamo	fornivamo	forniremo
2 fornite	fornivate	fornirete
3 forniscono	fornivano	forniranno

PASSATO REMOTO	PASSATO PROSSIMO	PLUPERFECT
1 fornii	ho fornito	avevo fornito
2 fornisti	hai fornito	avevi fornito
3 fornì	ha fornito	aveva fornito
1 fornimmo	abbiamo fornito	avevamo fornito
2 forniste	avete fornito	avevate fornito
3 fornirono	hanno fornito	avevano fornito

PAST ANTERIOR		FUTURE PERFECT
ebbi fornito *etc*		avrò fornito *etc*

CONDITIONAL		*IMPERATIVE*

PRESENT	PAST	
1 fornirei	avrei fornito	
2 forniresti	avresti fornito	fornisci
3 fornirebbe	avrebbe fornito	fornisca
1 forniremmo	avremmo fornito	forniamo
2 fornireste	avreste fornito	fornite
3 fornirebbero	avrebbero fornito	forniscano

SUBJUNCTIVE

PRESENT	IMPERFECT	PLUPERFECT
1 fornisca	fornissi	avessi fornito
2 fornisca	fornissi	avessi fornito
3 fornisca	fornisse	avesse fornito
1 forniamo	fornissimo	avessimo fornito
2 forniate	forniste	aveste fornito
3 forniscano	fornissero	avessero fornito

PASSATO PROSSIMO	abbia fornito *etc*

INFINITIVE	*GERUND*	*PAST PARTICIPLE*
PRESENT	fornendo	fornito
fornire		
PAST		
aver(e) fornito		

FUGGIRE
to run away, avoid

PRESENT	IMPERFECT	FUTURE
1 fuggo	fuggivo	fuggirò
2 fuggi	fuggivi	fuggirai
3 fugge	fuggiva	fuggirà
1 fuggiamo	fuggivamo	fuggiremo
2 fuggite	fuggivate	fuggirete
3 fuggono	fuggivano	fuggiranno

PASSATO REMOTO	PASSATO PROSSIMO	PLUPERFECT
1 fuggii	sono fuggito/a	ero fuggito/a
2 fuggisti	sei fuggito/a	eri fuggito/a
3 fuggì	è fuggito/a	era fuggito/a
1 fuggimmo	siamo fuggiti/e	eravamo fuggiti/e
2 fuggiste	siete fuggiti/e	eravate fuggiti/e
3 fuggirono	sono fuggiti/e	erano fuggiti/e

PAST ANTERIOR		FUTURE PERFECT
fui fuggito/a etc		sarò fuggito/a etc

CONDITIONAL		IMPERATIVE

PRESENT	PAST	
1 fuggirei	sarei fuggito/a	
2 fuggiresti	saresti fuggito/a	fuggi
3 fuggirebbe	sarebbe fuggito/a	fugga
1 fuggiremmo	saremmo fuggiti/e	fuggiamo
2 fuggireste	sareste fuggiti/e	fuggite
3 fuggirebbero	sarebbero fuggiti/e	fuggano

SUBJUNCTIVE		

PRESENT	IMPERFECT	PLUPERFECT
1 fugga	fuggissi	fossi fuggito/a
2 fugga	fuggissi	fossi fuggito/a
3 fugga	fuggisse	fosse fuggito/a
1 fuggiamo	fuggissimo	fossimo fuggiti/e
2 fuggiate	fuggiste	foste fuggiti/e
3 fuggano	fuggissero	fossero fuggiti/e

PASSATO PROSSIMO		
sia fuggito/a etc		

INFINITIVE	GERUND	PAST PARTICIPLE
PRESENT	fuggendo	fuggito/a/i/e
fuggire		
PAST		
esser(e) fuggito/a/i/e		

NOTE: with a direct object use 'avere' as auxiliary, eg: his friends avoided him = i suoi amici lo hanno fuggito

FUMARE
to smoke

	PRESENT	IMPERFECT	FUTURE
1	fumo	fumavo	fumerò
2	fumi	fumavi	fumerai
3	fuma	fumava	fumerà
1	fumiamo	fumavamo	fumeremo
2	fumate	fumavate	fumerete
3	fumano	fumavano	fumeranno

	PASSATO REMOTO	PASSATO PROSSIMO	PLUPERFECT
1	fumai	ho fumato	avevo fumato
2	fumasti	hai fumato	avevi fumato
3	fumò	ha fumato	aveva fumato
1	fumammo	abbiamo fumato	avevamo fumato
2	fumaste	avete fumato	avevate fumato
3	fumarono	hanno fumato	avevano fumato

PAST ANTERIOR	FUTURE PERFECT
ebbi fumato *etc*	avrò fumato *etc*

CONDITIONAL		*IMPERATIVE*

	PRESENT	PAST	
1	fumerei	avrei fumato	
2	fumeresti	avresti fumato	fuma
3	fumerebbe	avrebbe fumato	fumi
1	fumeremmo	avremmo fumato	fumiamo
2	fumereste	avreste fumato	fumate
3	fumerebbero	avrebbero fumato	fumino

SUBJUNCTIVE

	PRESENT	IMPERFECT	PLUPERFECT
1	fumi	fumassi	avessi fumato
2	fumi	fumassi	avessi fumato
3	fumi	fumasse	avesse fumato
1	fumiamo	fumassimo	avessimo fumato
2	fumiate	fumaste	aveste fumato
3	fumino	fumassero	avessero fumato

PASSATO PROSSIMO	abbia fumato *etc*

INFINITIVE	*GERUND*	*PAST PARTICIPLE*
PRESENT	fumando	fumato
fumare		
PAST		
aver(e) fumato		

102 GETTARE
to throw

PRESENT	IMPERFECT	FUTURE
1 getto	gettavo	getterò
2 getti	gettavi	getterai
3 getta	gettava	getterà
1 gettiamo	gettavamo	getteremo
2 gettate	gettavate	getterete
3 gettano	gettavano	getteranno

PASSATO REMOTO	PASSATO PROSSIMO	PLUPERFECT
1 gettai	ho gettato	avevo gettato
2 gettasti	hai gettato	avevi gettato
3 gettò	ha gettato	aveva gettato
1 gettammo	abbiamo gettato	avevamo gettato
2 gettaste	avete gettato	avevate gettato
3 gettarono	hanno gettato	avevano gettato

PAST ANTERIOR	FUTURE PERFECT
ebbi gettato *etc*	avrò gettato *etc*

CONDITIONAL		IMPERATIVE

PRESENT	PAST	
1 getterei	avrei gettato	
2 getteresti	avresti gettato	getta
3 getterebbe	avrebbe gettato	getti
1 getteremmo	avremmo gettato	gettiamo
2 gettereste	avreste gettato	gettate
3 getterebbero	avrebbero gettato	gettino

SUBJUNCTIVE

PRESENT	IMPERFECT	PLUPERFECT
1 getti	gettassi	avessi gettato
2 getti	gettassi	avessi gettato
3 getti	gettasse	avesse gettato
1 gettiamo	gettassimo	avessimo gettato
2 gettiate	gettaste	aveste gettato
3 gettino	gettassero	avessero gettato

PASSATO PROSSIMO	abbia gettato *etc*

INFINITIVE	GERUND	PAST PARTICIPLE
PRESENT	gettando	gettato
gettare		
PAST		
aver(e) gettato		

GIACERE
to lie, be situated

	PRESENT	IMPERFECT	FUTURE
1	giaccio	giacevo	giacerò
2	giaci	giacevi	giacerai
3	giace	giaceva	giacerà
1	giacciamo	giacevamo	giaceremo
2	giacete	giacevate	giacerete
3	giacciono	giacevano	giaceranno

	PASSATO REMOTO	PASSATO PROSSIMO	PLUPERFECT
1	giacqui	sono giaciuto/a	ero giaciuto/a
2	giacesti	sei giaciuto/a	eri giaciuto/a
3	giacque	è giaciuto/a	era giaciuto/a
1	giacemmo	siamo giaciuti/e	eravamo giaciuti/e
2	giaceste	siete giaciuti/e	eravate giaciuti/e
3	giacquero	sono giaciuti/e	erano giaciuti/e

PAST ANTERIOR	FUTURE PERFECT
fui giaciuto/a *etc*	sarò giaciuto/a *etc*

CONDITIONAL		*IMPERATIVE*

	PRESENT	PAST	
1	giacerei	sarei giaciuto/a	
2	giaceresti	saresti giaciuto/a	giaci
3	giacerebbe	sarebbe giaciuto/a	giaccia
1	giaceremmo	saremmo giaciuti/e	giacciamo
2	giacereste	sareste giaciuti/e	giacete
3	giacerebbero	sarebbero giaciuti/e	giacciano

SUBJUNCTIVE

	PRESENT	IMPERFECT	PLUPERFECT
1	giaccia	giacessi	fossi giaciuto/a
2	giaccia	giacessi	fossi giaciuto/a
3	giaccia	giacesse	fosse giaciuto/a
1	giacciamo	giacessimo	fossimo giaciuti/e
2	giacciate	giaceste	foste giaciuti/e
3	giacciano	giacessero	fossero giaciuti/e

PASSATO PROSSIMO		
sia giaciuto/a *etc*		

INFINITIVE	*GERUND*	*PAST PARTICIPLE*
PRESENT	giacendo	giaciuto/a/i/e
giacere		
PAST		
esser(e) giaciuto/a/i/e		

GIOCARE
to play

PRESENT	IMPERFECT	FUTURE
1 gioco/giuoco	giocavo	giocherò
2 giochi/giuochi	giocavi	giocherai
3 gioca/giuoca	giocava	giocherà
1 giochiamo/giuochiamo	giocavamo	giocheremo
2 giocate/giuocate	giocavate	giocherete
3 giocano/giuocano	giocavano	giocheranno

PASSATO REMOTO	PASSATO PROSSIMO	PLUPERFECT
1 giocai	ho giocato	avevo giocato
2 giocasti	hai giocato	avevi giocato
3 giocò	ha giocato	aveva giocato
1 giocammo	abbiamo giocato	avevamo giocato
2 giocaste	avete giocato	avevate giocato
3 giocarono	hanno giocato	avevano giocato

PAST ANTERIOR		FUTURE PERFECT
ebbi giocato *etc*		avrò giocato *etc*

CONDITIONAL		*IMPERATIVE*

PRESENT	PAST	
1 giocherei	avrei giocato	
2 giocheresti	avresti giocato	gioca
3 giocherebbe	avrebbe giocato	giochi
1 giocheremmo	avremmo giocato	giochiamo
2 giochereste	avreste giocato	giocate
3 giocherebbero	avrebbero giocato	giochino

SUBJUNCTIVE		

PRESENT	IMPERFECT	PLUPERFECT
1 giochi	giocassi	avessi giocato
2 giochi	giocassi	avessi giocato
3 giochi	giocasse	avesse giocato
1 giochiamo	giocassimo	avessimo giocato
2 giochiate	giocaste	aveste giocato
3 giochino	giocassero	avessero giocato

PASSATO PROSSIMO	abbia giocato *etc*

INFINITIVE	*GERUND*	*PAST PARTICIPLE*
PRESENT	giocando	giocato
giocare		
PAST		
aver(e) giocato		

GIUNGERE

to arrive at, get as far as

PRESENT	IMPERFECT	FUTURE
1 giungo	giungevo	giungerò
2 giungi	giungevi	giungerai
3 giunge	giungeva	giungerà
1 giungiamo	giungevamo	giungeremo
2 giungete	giungevate	giungerete
3 giungono	giungevano	giungeranno

PASSATO REMOTO	PASSATO PROSSIMO	PLUPERFECT
1 giunsi	sono giunto/a	ero giunto/a
2 giungesti	sei giunto/a	eri giunto/a
3 giunse	è giunto/a	era giunto/a
1 giungemmo	siamo giunti/e	eravamo giunti/e
2 giungeste	siete giunti/e	eravate giunti/e
3 giunsero	sono giunti/e	erano giunti/e

PAST ANTERIOR		FUTURE PERFECT
fui giunto/a *etc*		sarò giunto/a *etc*

CONDITIONAL

IMPERATIVE

PRESENT	PAST	
1 giungerei	sarei giunto/a	
2 giungeresti	saresti giunto/a	giungi
3 giungerebbe	sarebbe giunto/a	giunga
1 giungeremmo	saremmo giunti/e	giungiamo
2 giungereste	sareste giunti/e	giungete
3 giungerebbero	sarebbero giunti/e	giungano

SUBJUNCTIVE

PRESENT	IMPERFECT	PLUPERFECT
1 giunga	giungessi	fossi giunto/a
2 giunga	giungessi	fossi giunto/a
3 giunga	giungesse	fosse giunto/a
1 giungiamo	giungessimo	fossimo giunti/e
2 giungiate	giungeste	foste giunti/e
3 giungano	giungessero	fossero giunti/e

PASSATO PROSSIMO	sia giunto/a *etc*

INFINITIVE	GERUND	PAST PARTICIPLE
PRESENT	giungendo	giunto/a/i/e
giungere		
PAST		
esser(e) giunto/a/i/e/		

GODERE
to enjoy, have a good time

PRESENT	IMPERFECT	FUTURE
1 godo	godevo	godrò
2 godi	godevi	godrai
3 gode	godeva	godrà
1 godiamo	godevamo	godremo
2 godete	godevate	godrete
3 godono	godevano	godranno

PASSATO REMOTO	PASSATO PROSSIMO	PLUPERFECT
1 godei/godetti	ho goduto	avevo goduto
2 godesti	hai goduto	avevi goduto
3 godé/godette	ha goduto	aveva goduto
1 godemmo	abbiamo goduto	avevamo goduto
2 godeste	avete goduto	avevate goduto
3 goderono/godettero	hanno goduto	avevano goduto

PAST ANTERIOR		FUTURE PERFECT
ebbi goduto *etc*		avrò goduto *etc*

CONDITIONAL		*IMPERATIVE*
PRESENT	**PAST**	
1 godrei	avrei goduto	
2 godresti	avresti goduto	godi
3 godrebbe	avrebbe goduto	goda
1 godremmo	avremmo goduto	godiamo
2 godreste	avreste goduto	godete
3 godrebbero	avrebbero goduto	godano

SUBJUNCTIVE

PRESENT	IMPERFECT	PLUPERFECT
1 goda	godessi	avessi goduto
2 goda	godessi	avessi goduto
3 goda	godesse	avesse goduto
1 godiamo	godessimo	avessimo goduto
2 godiate	godeste	aveste goduto
3 godano	godessero	avessero goduto

PASSATO PROSSIMO	abbia goduto *etc*

INFINITIVE	*GERUND*	*PAST PARTICIPLE*
PRESENT	godendo	goduto
godere		
PAST		
aver(e) goduto		

PRESENT	IMPERFECT	FUTURE
1 grido	gridavo	griderò
2 gridi	gridavi	griderai
3 grida	gridava	griderà
1 gridiamo	gridavamo	grideremo
2 gridate	gridavate	griderete
3 gridano	gridavano	grideranno

PASSATO REMOTO	PASSATO PROSSIMO	PLUPERFECT
1 gridai	ho gridato	avevo gridato
2 gridasti	hai gridato	avevi gridato
3 gridò	ha gridato	aveva gridato
1 gridammo	abbiamo gridato	avevamo gridato
2 gridaste	avete gridato	avevate gridato
3 gridarono	hanno gridato	avevano gridato

PAST ANTERIOR	FUTURE PERFECT
ebbi gridato *etc*	avrò gridato *etc*

CONDITIONAL		*IMPERATIVE*

PRESENT	PAST	
1 griderei	avrei gridato	
2 grideresti	avresti gridato	grida
3 griderebbe	avrebbe gridato	gridi
1 grideremmo	avremmo gridato	gridiamo
2 gridereste	avreste gridato	gridate
3 griderebbero	avrebbero gridato	gridino

SUBJUNCTIVE		

PRESENT	IMPERFECT	PLUPERFECT
1 gridi	gridassi	avessi gridato
2 gridi	gridassi	avessi gridato
3 gridi	gridasse	avesse gridato
1 gridiamo	gridassimo	avessimo gridato
2 gridiate	gridaste	aveste gridato
3 gridino	gridassero	avessero gridato

PASSATO PROSSIMO	abbia gridato *etc*

INFINITIVE	*GERUND*	*PAST PARTICIPLE*
PRESENT	gridando	gridato
gridare		
PAST		
aver(e) gridato		

GUARDARE
to look at, look after

PRESENT	IMPERFECT	FUTURE
1 guardo	guardavo	guarderò
2 guardi	guardavi	guarderai
3 guarda	guardava	guarderà
1 guardiamo	guardavamo	guarderemo
2 guardate	guardavate	guarderete
3 guardano	guardavano	guarderanno

PASSATO REMOTO	PASSATO PROSSIMO	PLUPERFECT
1 guardai	ho guardato	avevo guardato
2 guardasti	hai guardato	avevi guardato
3 guardò	ha guardato	aveva guardato
1 guardammo	abbiamo guardato	avevamo guardato
2 guardaste	avete guardato	avevate guardato
3 guardarono	hanno guardato	avevano guardato

PAST ANTERIOR		FUTURE PERFECT
ebbi guardato *etc*		avrò guardato *etc*

CONDITIONAL		*IMPERATIVE*

PRESENT	PAST	
1 guarderei	avrei guardato	
2 guarderesti	avresti guardato	guarda
3 guarderebbe	avrebbe guardato	guardi
1 guarderemmo	avremmo guardato	guardiamo
2 guardereste	avreste guardato	guardate
3 guarderebbero	avrebbero guardato	guardino

SUBJUNCTIVE

PRESENT	IMPERFECT	PLUPERFECT
1 guardi	guardassi	avessi guardato
2 guardi	guardassi	avessi guardato
3 guardi	guardasse	avesse guardato
1 guardiamo	guardassimo	avessimo guardato
2 guardiate	guardaste	aveste guardato
3 guardino	guardassero	avessero guardato

PASSATO PROSSIMO	abbia guardato *etc*

INFINITIVE	*GERUND*	*PAST PARTICIPLE*
PRESENT guardare	guardando	guardato
PAST aver(e) guardato		

to learn

PRESENT	IMPERFECT	FUTURE
1 imparo	imparavo	imparerò
2 impari	imparavi	imparerai
3 impara	imparava	imparerà
1 impariamo	imparavamo	impareremo
2 imparate	imparavate	imparerete
3 imparano	imparavano	impareranno

PASSATO REMOTO	PASSATO PROSSIMO	PLUPERFECT
1 imparai	ho imparato	avevo imparato
2 imparasti	hai imparato	avevi imparato
3 imparò	ha imparato	aveva imparato
1 imparammo	abbiamo imparato	avevamo imparato
2 imparaste	avete imparato	avevate imparato
3 impararono	hanno imparato	avevano imparato

PAST ANTERIOR		FUTURE PERFECT
ebbi imparato *etc*		avrò imparato *etc*

CONDITIONAL		*IMPERATIVE*

PRESENT	PAST	
1 imparerei	avrei imparato	
2 impareresti	avresti imparato	impara
3 imparerebbe	avrebbe imparato	impari
1 impareremmo	avremmo imparato	impariamo
2 imparereste	avreste imparato	imparate
3 imparerebbero	avrebbero imparato	imparino

SUBJUNCTIVE		

PRESENT	IMPERFECT	PLUPERFECT
1 impari	imparassi	avessi imparato
2 impari	imparassi	avessi imparato
3 impari	imparasse	avesse imparato
1 impariamo	imparassimo	avessimo imparato
2 impariate	imparaste	aveste imparato
3 imparino	imparassero	avessero imparato

PASSATO PROSSIMO	abbia imparato *etc*	

INFINITIVE	*GERUND*	*PAST PARTICIPLE*
PRESENT	imparando	imparato
imparare		
PAST		
aver(e) imparato		

110 IMPEDIRE
to prevent

PRESENT	IMPERFECT	FUTURE
1 impedisco	impedivo	impedirò
2 impedisci	impedivi	impedirai
3 impedisce	impediva	impedirà
1 impediamo	impedivamo	impediremo
2 impedite	impedivate	impedirete
3 impediscono	impedivano	impediranno

PASSATO REMOTO	PASSATO PROSSIMO	PLUPERFECT
1 impedii	ho impedito	avevo impedito
2 impedisti	hai impedito	avevi impedito
3 impedì	ha impedito	aveva impedito
1 impedimmo	abbiamo impedito	avevamo impedito
2 impediste	avete impedito	avevate impedito
3 impedirono	hanno impedito	avevano impedito

PAST ANTERIOR	FUTURE PERFECT
ebbi impedito *etc*	avrò impedito *etc*

CONDITIONAL

IMPERATIVE

PRESENT	PAST	
1 impedirei	avrei impedito	
2 impediresti	avresti impedito	impedisci
3 impedirebbe	avrebbe impedito	impedisca
1 impediremmo	avremmo impedito	impediamo
2 impedireste	avreste impedito	impedite
3 impedirebbero	avrebbero impedito	impediscano

SUBJUNCTIVE

PRESENT	IMPERFECT	PLUPERFECT
1 impedisca	impedissi	avessi impedito
2 impedisca	impedissi	avessi impedito
3 impedisca	impedisse	avesse impedito
1 impediamo	impedissimo	avessimo impedito
2 impediate	impediste	aveste impedito
3 impediscano	impedissero	avessero impedito

PASSATO PROSSIMO	abbia impedito *etc*

INFINITIVE	GERUND	PAST PARTICIPLE
PRESENT	impedendo	impedito
impedire		
PAST		
aver(e) impedito		

INCONTRARE
to meet

PRESENT	**IMPERFECT**	**FUTURE**
1 incontro	incontravo	incontrerò
2 incontri	incontravi	incontrerai
3 incontra	incontrava	incontrerà
1 incontriamo	incontravamo	incontreremo
2 incontrate	incontravate	incontrerete
3 incontrano	incontravano	incontreranno

PASSATO REMOTO	**PASSATO PROSSIMO**	**PLUPERFECT**
1 incontrai	ho incontrato	avevo incontrato
2 incontrasti	hai incontrato	avevi incontrato
3 incontrò	ha incontrato	aveva incontrato
1 incontrammo	abbiamo incontrato	avevamo incontrato
2 incontraste	avete incontrato	avevate incontrato
3 incontrarono	hanno incontrato	avevano incontrato

PAST ANTERIOR		**FUTURE PERFECT**
ebbi incontrato *etc*		avrò incontrato *etc*

CONDITIONAL		*IMPERATIVE*
PRESENT	**PAST**	
1 incontrerei	avrei incontrato	
2 incontreresti	avresti incontrato	incontra
3 incontrerebbe	avrebbe incontrato	incontri
1 incontreremmo	avremmo incontrato	incontriamo
2 incontrereste	avreste incontrato	incontrate
3 incontrerebbero	avrebbero incontrato	incontrino

SUBJUNCTIVE

PRESENT	**IMPERFECT**	**PLUPERFECT**
1 incontri	incontrassi	avessi incontrato
2 incontri	incontrassi	avessi incontrato
3 incontri	incontrasse	avesse incontrato
1 incontriamo	incontrassimo	avessimo incontrato
2 incontriate	incontraste	aveste incontrato
3 incontrino	incontrassero	avessero incontrato

PASSATO PROSSIMO	abbia incontrato *etc*

INFINITIVE	*GERUND*	*PAST PARTICIPLE*
PRESENT	incontrando	incontrato
incontrare		
PAST		
aver(e) incontrato		

112

INFERIRE
to inflict, infer

PRESENT	IMPERFECT	FUTURE
1 inferisco	inferivo	inferirò
2 inferisci	inferivi	inferirai
3 inferisce	inferiva	inferirà
1 inferiamo	inferivamo	inferiremo
2 inferite	inferivate	inferirete
3 inferiscono	inferivano	inferiranno

PASSATO REMOTO	PASSATO PROSSIMO	PLUPERFECT
1 infersi/inferii	ho inferto/inferito	avevo inferto/inferito
2 inferisti	hai inferto/inferito	avevi inferto/inferito
3 inferse/inferi	ha inferto/inferito	aveva inferto/inferito
1 inferimmo	abbiamo inferto/inferito	avevamo inferto/inferito
2 inferiste	avete inferto/inferito	avevate inferto/inferito
3 infersero/inferirono	hanno inferto/inferito	avevano inferto/inferito

PAST ANTERIOR	FUTURE PERFECT
ebbi inferto/inferito *etc*	avrò inferto/inferito *etc*

CONDITIONAL		*IMPERATIVE*

PRESENT	PAST	
1 inferirei	avrei inferto/inferito	
2 inferiresti	avresti inferto/inferito	inferisci
3 inferirebbe	avrebbe inferto/inferito	inferisca
1 inferiremmo	avremmo inferto/inferito	inferiamo
2 inferireste	avreste inferto/inferito	inferite
3 inferirebbero	avrebbero inferto/inferito	inferiscano

SUBJUNCTIVE

PRESENT	IMPERFECT	PLUPERFECT
1 inferisca	inferissi	avessi inferto/inferito
2 inferisca	inferissi	avessi inferto/inferito
3 inferisca	inferisse	avesse inferto/inferito
1 inferiamo	inferissimo	avessimo inferto/inferito
2 inferiate	inferiste	aveste inferto/inferito
3 inferiscano	inferissero	avessero inferto/inferito

PASSATO PROSSIMO	abbia inferto/inferito *etc*

INFINITIVE	*GERUND*	*PAST PARTICIPLE*
PRESENT	inferendo	inferto/inferito
inferire		
PAST		
aver(e) inferto/inferito		

NOTE: for 'to inflict' use 'passato remoto' 'infersi/inferse/
infersero' and past participle 'inferto'; for 'to infer' use the
'inferii/inferi/inferirono' and 'inferito' forms

INSEGNARE
to teach

PRESENT	IMPERFECT	FUTURE
1 insegno	insegnavo	insegnerò
2 insegni	insegnavi	insegnerai
3 insegna	insegnava	insegnerà
1 insegniamo	insegnavamo	insegneremo
2 insegnate	insegnavate	insegnerete
3 insegnano	insegnavano	insegneranno

PASSATO REMOTO	PASSATO PROSSIMO	PLUPERFECT
1 insegnai	ho insegnato	avevo insegnato
2 insegnasti	hai insegnato	avevi insegnato
3 insegnò	ha insegnato	aveva insegnato
1 insegnammo	abbiamo insegnato	avevamo insegnato
2 insegnaste	avete insegnato	avevate insegnato
3 insegnarono	hanno insegnato	avevano insegnato

PAST ANTERIOR		FUTURE PERFECT
ebbi insegnato *etc*		avrò insegnato *etc*

CONDITIONAL		*IMPERATIVE*

PRESENT	PAST	
1 insegnerei	avrei insegnato	
2 insegneresti	avresti insegnato	insegna
3 insegnerebbe	avrebbe insegnato	insegni
1 insegneremmo	avremmo insegnato	insegniamo
2 insegnereste	avreste insegnato	insegnate
3 insegnerebbero	avrebbero insegnato	insegnino

SUBJUNCTIVE		

PRESENT	IMPERFECT	PLUPERFECT
1 insegni	insegnassi	avessi insegnato
2 insegni	insegnassi	avessi insegnato
3 insegni	insegnasse	avesse insegnato
1 insegniamo	insegnassimo	avessimo insegnato
2 insegniate	insegnaste	aveste insegnato
3 insegnino	insegnassero	avessero insegnato

PASSATO PROSSIMO	abbia insegnato *etc*	

INFINITIVE	*GERUND*	*PAST PARTICIPLE*
PRESENT	insegnando	insegnato
insegnare		
PAST		
aver(e) insegnato		

INSISTERE
to insist

PRESENT	IMPERFECT	FUTURE
1 insisto	insistevo	insisterò
2 insisti	insistevi	insisterai
3 insiste	insisteva	insisterà
1 insistiamo	insistevamo	insisteremo
2 insistete	insistevate	insisterete
3 insistono	insistevano	insisteranno

PASSATO REMOTO	PASSATO PROSSIMO	PLUPERFECT
1 insistei/insistetti	ho insistito	avevo insistito
2 insistesti	hai insistito	avevi insistito
3 insisté/insistette	ha insistito	aveva insistito
1 insistemmo	abbiamo insistito	avevamo insistito
2 insisteste	avete insistito	avevate insistito
3 insisterono/insistettero	hanno insistito	avevano insistito

PAST ANTERIOR		FUTURE PERFECT
ebbi insistito *etc*		avrò insistito *etc*

CONDITIONAL

IMPERATIVE

PRESENT	PAST	
1 insisterei	avrei insistito	
2 insisteresti	avresti insistito	insisti
3 insisterebbe	avrebbe insistito	insista
1 insisteremmo	avremmo insistito	insistiamo
2 insistereste	avreste insistito	insistete
3 insisterebbero	avrebbero insistito	insistano

SUBJUNCTIVE

PRESENT	IMPERFECT	PLUPERFECT
1 insista	insistessi	avessi insistito
2 insista	insistessi	avessi insistito
3 insista	insistesse	avesse insistito
1 insistiamo	insistessimo	avessimo insistito
2 insistiate	insisteste	aveste insistito
3 insistano	insistessero	avessero insistito

PASSATO PROSSIMO	abbia insistito *etc*

INFINITIVE	GERUND	PAST PARTICIPLE
PRESENT	insistendo	insistito
insistere		
PAST		
aver(e) insistito		

INTENDERE
to intend, understand

	PRESENT	IMPERFECT	FUTURE
1	intendo	intendevo	intenderò
2	intendi	intendevi	intenderai
3	intende	intendeva	intenderà
1	intendiamo	intendevamo	intenderemo
2	intendete	intendevate	intenderete
3	intendono	intendevano	intenderanno

	PASSATO REMOTO	PASSATO PROSSIMO	PLUPERFECT
1	intesi	ho inteso	avevo inteso
2	intendesti	hai inteso	avevi inteso
3	intese	ha inteso	aveva inteso
1	intendemmo	abbiamo inteso	avevamo inteso
2	intendeste	avete inteso	avevate inteso
3	intesero	hanno inteso	avevano inteso

PAST ANTERIOR	FUTURE PERFECT
ebbi inteso *etc*	avrò inteso *etc*

CONDITIONAL

IMPERATIVE

	PRESENT	PAST	
1	intenderei	avrei inteso	
2	intenderesti	avresti inteso	intendi
3	intenderebbe	avrebbe inteso	intenda
1	intenderemmo	avremmo inteso	intendiamo
2	intendereste	avreste inteso	intendete
3	intenderebbero	avrebbero inteso	intendano

SUBJUNCTIVE

	PRESENT	IMPERFECT	PLUPERFECT
1	intenda	intendessi	avessi inteso
2	intenda	intendessi	avessi inteso
3	intenda	intendesse	avesse inteso
1	intendiamo	intendessimo	avessimo inteso
2	intendiate	intendeste	aveste inteso
3	intendano	intendessero	avessero inteso

PASSATO PROSSIMO	abbia inteso *etc*

INFINITIVE	GERUND	PAST PARTICIPLE
PRESENT	intendendo	inteso
intendere		
PAST		
aver(e) inteso		

INVADERE
to invade

PRESENT	IMPERFECT	FUTURE
1 invado	invadevo	invaderò
2 invadi	invadevi	invaderai
3 invade	invadeva	invaderà
1 invadiamo	invadevamo	invaderemo
2 invadete	invadevate	invaderete
3 invadono	invadevano	invaderanno

PASSATO REMOTO	PASSATO PROSSIMO	PLUPERFECT
1 invasi	ho invaso	avevo invaso
2 invadesti	hai invaso	avevi invaso
3 invase	ha invaso	aveva invaso
1 invademmo	abbiamo invaso	avevamo invaso
2 invadeste	avete invaso	avevate invaso
3 invasero	hanno invaso	avevano invaso

PAST ANTERIOR		FUTURE PERFECT
ebbi invaso *etc*		avrò invaso *etc*

CONDITIONAL		*IMPERATIVE*

PRESENT	PAST	
1 invaderei	avrei invaso	
2 invaderesti	avresti invaso	invadi
3 invaderebbe	avrebbe invaso	invada
1 invaderemmo	avremmo invaso	invadiamo
2 invadereste	avreste invaso	invadete
3 invaderebbero	avrebbero invaso	invadano

SUBJUNCTIVE

PRESENT	IMPERFECT	PLUPERFECT
1 invada	invadessi	avessi invaso
2 invada	invadessi	avessi invaso
3 invada	invadesse	avesse invaso
1 invadiamo	invadessimo	avessimo invaso
2 invadiate	invadeste	aveste invaso
3 invadano	invadessero	avessero invaso

PASSATO PROSSIMO	abbia invaso *etc*

INFINITIVE	*GERUND*	*PAST PARTICIPLE*
PRESENT	invadendo	invaso
invadere		
PAST		
aver(e) invaso		

INVIARE
to send (off)

	PRESENT	IMPERFECT	FUTURE
1	invio	inviavo	invierò
2	invii	inviavi	invierai
3	invia	inviava	invierà
1	inviamo	inviavamo	invieremo
2	inviate	inviavate	invierete
3	inviano	inviavano	invieranno

	PASSATO REMOTO	PASSATO PROSSIMO	PLUPERFECT
1	inviai	ho inviato	avevo inviato
2	inviasti	hai inviato	avevi inviato
3	inviò	ha inviato	aveva inviato
1	inviammo	abbiamo inviato	avevamo inviato
2	inviaste	avete inviato	avevate inviato
3	inviarono	hanno inviato	avevano inviato

PAST ANTERIOR	FUTURE PERFECT
ebbi inviato *etc*	avrò inviato *etc*

CONDITIONAL		IMPERATIVE

	PRESENT	PAST	
1	invierei	avrei inviato	
2	invieresti	avresti inviato	invia
3	invierebbe	avrebbe inviato	invii
1	invieremmo	avremmo inviato	inviamo
2	inviereste	avreste inviato	inviate
3	invierebbero	avrebbero inviato	inviino

SUBJUNCTIVE

	PRESENT	IMPERFECT	PLUPERFECT
1	invii	inviassi	avessi inviato
2	invii	inviassi	avessi inviato
3	invii	inviasse	avesse inviato
1	inviamo	inviassimo	avessimo inviato
2	inviate	inviaste	aveste inviato
3	inviino	inviassero	avessero inviato

PASSATO PROSSIMO	abbia inviato *etc*

INFINITIVE	GERUND	PAST PARTICIPLE
PRESENT inviare	inviando	inviato
PAST aver(e) inviato		

118 LAVARSI
to have a wash

PRESENT	IMPERFECT	FUTURE
1 mi lavo	mi lavavo	mi laverò
2 ti lavi	ti lavavi	ti laverai
3 si lava	si lavava	si laverà
1 ci laviamo	ci lavavamo	ci laveremo
2 vi lavate	vi lavavate	vi laverete
3 si lavano	si lavavano	si laveranno

PASSATO REMOTO	PASSATO PROSSIMO	PLUPERFECT
1 mi lavai	mi sono lavato/a	mi ero lavato/a
2 ti lavasti	ti sei lavato/a	ti eri lavato/a
3 si lavò	si è lavato/a	si era lavato/a
1 ci lavammo	ci siamo lavati/e	ci eravamo lavati/e
2 vi lavaste	vi siete lavati/e	vi eravate lavati/e
3 si lavarono	si sono lavati/e	si erano lavati/e

PAST ANTERIOR		FUTURE PERFECT
mi fui lavato/a *etc*		mi sarò lavato/a *etc*

CONDITIONAL		IMPERATIVE

PRESENT	PAST	
1 mi laverei	mi sarei lavato/a	
2 ti laveresti	ti saresti lavato/a	lavati
3 si laverebbe	si sarebbe lavato/a	si lavi
1 ci laveremmo	ci saremmo lavati/e	laviamoci
2 vi lavereste	vi sareste lavati/e	lavatevi
3 si laverebbero	si sarebbero lavati/e	si lavino

SUBJUNCTIVE

PRESENT	IMPERFECT	PLUPERFECT
1 mi lavi	mi lavassi	mi fossi lavato/a
2 ti lavi	ti lavassi	ti fossi lavato/a
3 si lavi	si lavasse	si fosse lavato/a
1 ci laviamo	ci lavassimo	ci fossimo lavati/e
2 vi laviate	vi lavaste	vi foste lavati/e
3 si lavino	si lavassero	si fossero lavati/e

PASSATO PROSSIMO	mi sia lavato/a *etc*

INFINITIVE	GERUND	PAST PARTICIPLE
PRESENT	lavandomi *etc*	lavato/a/i/e
lavarsi		
PAST		
essersi lavato/a/i/e		

LEDERE
to damage

	PRESENT	IMPERFECT	FUTURE
1	ledo	ledevo	lederò
2	ledi	ledevi	lederai
3	lede	ledeva	lederà
1	lediamo	ledevamo	lederemo
2	ledete	ledevate	lederete
3	ledono	ledevano	lederanno

	PASSATO REMOTO	PASSATO PROSSIMO	PLUPERFECT
1	lesi	ho leso	avevo leso
2	ledesti	hai leso	avevi leso
3	lese	ha leso	aveva leso
1	ledemmo	abbiamo leso	avevamo leso
2	ledeste	avete leso	avevate leso
3	lesero	hanno leso	avevano leso

PAST ANTERIOR	FUTURE PERFECT
ebbi leso *etc*	avrò leso *etc*

CONDITIONAL		*IMPERATIVE*

	PRESENT	PAST	
1	lederei	avrei leso	
2	lederesti	avresti leso	ledi
3	lederebbe	avrebbe leso	leda
1	lederemmo	avremmo leso	lediamo
2	ledereste	avreste leso	ledete
3	lederebbero	avrebbero leso	ledano

SUBJUNCTIVE

	PRESENT	IMPERFECT	PLUPERFECT
1	leda	ledessi	avessi leso
2	leda	ledessi	avessi leso
3	leda	ledesse	avesse leso
1	lediamo	ledessimo	avessimo leso
2	lediate	ledeste	aveste leso
3	ledano	ledessero	avessero leso

PASSATO PROSSIMO	abbia leso *etc*

INFINITIVE	*GERUND*	*PAST PARTICIPLE*
PRESENT	ledendo	leso
ledere		
PAST		
aver(e) leso		

120 LEGGERE
to read

PRESENT	IMPERFECT	FUTURE
1 leggo	leggevo	leggerò
2 leggi	leggevi	leggerai
3 legge	leggeva	leggerà
1 leggiamo	leggevamo	leggeremo
2 leggete	leggevate	leggerete
3 leggono	leggevano	leggeranno

PASSATO REMOTO	PASSATO PROSSIMO	PLUPERFECT
1 lessi	ho letto	avevo letto
2 leggesti	hai letto	avevi letto
3 lesse	ha letto	aveva letto
1 leggemmo	abbiamo letto	avevamo letto
2 leggeste	avete letto	avevate letto
3 lessero	hanno letto	avevano letto

PAST ANTERIOR	FUTURE PERFECT
ebbi letto *etc*	avrò letto *etc*

CONDITIONAL

IMPERATIVE

PRESENT	PAST	
1 leggerei	avrei letto	
2 leggeresti	avresti letto	leggi
3 leggerebbe	avrebbe letto	legga
1 leggeremmo	avremmo letto	leggiamo
2 leggereste	avreste letto	leggete
3 leggerebbero	avrebbero letto	leggano

SUBJUNCTIVE

PRESENT	IMPERFECT	PLUPERFECT
1 legga	leggessi	avessi letto
2 legga	leggessi	avessi letto
3 legga	leggesse	avesse letto
1 leggiamo	leggessimo	avessimo letto
2 leggiate	leggeste	aveste letto
3 leggano	leggessero	avessero letto

PASSATO PROSSIMO	abbia letto *etc*

INFINITIVE	GERUND	PAST PARTICIPLE
PRESENT	leggendo	letto
leggere		
PAST		
aver(e) letto		

MANDARE
to send

PRESENT	IMPERFECT	FUTURE
1 mando	mandavo	manderò
2 mandi	mandavi	manderai
3 manda	mandava	manderà
1 mandiamo	mandavamo	manderemo
2 mandate	mandavate	manderete
3 mandano	mandavano	manderanno

PASSATO REMOTO	PASSATO PROSSIMO	PLUPERFECT
1 mandai	ho mandato	avevo mandato
2 mandasti	hai mandato	avevi mandato
3 mandò	ha mandato	aveva mandato
1 mandammo	abbiamo mandato	avevamo mandato
2 mandaste	avete mandato	avevate mandato
3 mandarono	hanno mandato	avevano mandato

PAST ANTERIOR	FUTURE PERFECT
ebbi mandato *etc*	avrò mandato *etc*

CONDITIONAL		*IMPERATIVE*

PRESENT	PAST	
1 manderei	avrei mandato	
2 manderesti	avresti mandato	manda
3 manderebbe	avrebbe mandato	mandi
1 manderemmo	avremmo mandato	mandiamo
2 mandereste	avreste mandato	mandate
3 manderebbero	avrebbero mandato	mandino

SUBJUNCTIVE

PRESENT	IMPERFECT	PLUPERFECT
1 mandi	mandassi	avessi mandato
2 mandi	mandassi	avessi mandato
3 mandi	mandasse	avesse mandato
1 mandiamo	mandassimo	avessimo mandato
2 mandiate	mandaste	aveste mandato
3 mandino	mandassero	avessero mandato

PASSATO PROSSIMO	abbia mandato *etc*

INFINITIVE	*GERUND*	*PAST PARTICIPLE*
PRESENT	mandando	mandato
mandare		
PAST		
aver(e) mandato		

MANGIARE
to eat

PRESENT	IMPERFECT	FUTURE
1 mangio	mangiavo	mangerò
2 mangi	mangiavi	mangerai
3 mangia	mangiava	mangerà
1 mangiamo	mangiavamo	mangeremo
2 mangiate	mangiavate	mangerete
3 mangiano	mangiavano	mangeranno

PASSATO REMOTO	PASSATO PROSSIMO	PLUPERFECT
1 mangiai	ho mangiato	avevo mangiato
2 mangiasti	hai mangiato	avevi mangiato
3 mangiò	ha mangiato	aveva mangiato
1 mangiammo	abbiamo mangiato	avevamo mangiato
2 mangiaste	avete mangiato	avevate mangiato
3 mangiarono	hanno mangiato	avevano mangiato

PAST ANTERIOR		FUTURE PERFECT
ebbi mangiato *etc*		avrò mangiato *etc*

CONDITIONAL		*IMPERATIVE*
PRESENT	**PAST**	
1 mangerei	avrei mangiato	
2 mangeresti	avresti mangiato	mangia
3 mangerebbe	avrebbe mangiato	mangi
1 mangeremmo	avremmo mangiato	mangiamo
2 mangereste	avreste mangiato	mangiate
3 mangerebbero	avrebbero mangiato	mangino

SUBJUNCTIVE

PRESENT	IMPERFECT	PLUPERFECT
1 mangi	mangiassi	avessi mangiato
2 mangi	mangiassi	avessi mangiato
3 mangi	mangiasse	avesse mangiato
1 mangiamo	mangiassimo	avessimo mangiato
2 mangiate	mangiaste	aveste mangiato
3 mangino	mangiassero	avessero mangiato

PASSATO PROSSIMO	abbia mangiato *etc*

INFINITIVE	*GERUND*	*PAST PARTICIPLE*
PRESENT	mangiando	mangiato
mangiare		
PAST		
aver(e) mangiato		

MENTIRE
to lie

	PRESENT	IMPERFECT	FUTURE
1	mento/mentisco	mentivo	mentirò
2	menti/mentisci	mentivi	mentirai
3	mente/mentisce	mentiva	mentirà
1	mentiamo	mentivamo	mentiremo
2	mentite	mentivate	mentirete
3	mentono/mentiscono	mentivano	mentiranno

	PASSATO REMOTO	PASSATO PROSSIMO	PLUPERFECT
1	mentii	ho mentito	avevo mentito
2	mentisti	hai mentito	avevi mentito
3	mentì	ha mentito	aveva mentito
1	mentimmo	abbiamo mentito	avevamo mentito
2	mentiste	avete mentito	avevate mentito
3	mentirono	hanno mentito	avevano mentito

PAST ANTERIOR	FUTURE PERFECT
ebbi mentito *etc*	avrò mentito *etc*

CONDITIONAL

IMPERATIVE

	PRESENT	PAST	
1	mentirei	avrei mentito	
2	mentiresti	avresti mentito	menti/mentisci
3	mentirebbe	avrebbe mentito	menta/mentisca
1	mentiremmo	avremmo mentito	mentiamo
2	mentireste	avreste mentito	mentite
3	mentirebbero	avrebbero mentito	mentano/mentiscano

SUBJUNCTIVE

	PRESENT	IMPERFECT	PLUPERFECT
1	menta/mentisca	mentissi	avessi mentito
2	menta/mentisca	mentissi	avessi mentito
3	menta/mentisca	mentisse	avesse mentito
1	mentiamo	mentissimo	avessimo mentito
2	mentiate	mentiste	aveste mentito
3	mentano/mentiscano	mentissero	avessero mentito

PASSATO PROSSIMO	abbia mentito *etc*

INFINITIVE	*GERUND*	*PAST PARTICIPLE*
PRESENT	mentendo	mentito
mentire		
PAST		
aver(e) mentito		

METTERE
to put, put on

PRESENT	IMPERFECT	FUTURE
1 metto	mettevo	metterò
2 metti	mettevi	metterai
3 mette	metteva	metterà
1 mettiamo	mettevamo	metteremo
2 mettete	mettevate	metterete
3 mettono	mettevano	metteranno

PASSATO REMOTO	PASSATO PROSSIMO	PLUPERFECT
1 misi	ho messo	avevo messo
2 mettesti	hai messo	avevi messo
3 mise	ha messo	aveva messo
1 mettemmo	abbiamo messo	avevamo messo
2 metteste	avete messo	avevate messo
3 misero	hanno messo	avevano messo

PAST ANTERIOR	FUTURE PERFECT
ebbi messo *etc*	avrò messo *etc*

CONDITIONAL		*IMPERATIVE*

PRESENT	PAST	
1 metterei	avrei messo	
2 metteresti	avresti messo	metti
3 metterebbe	avrebbe messo	metta
1 metteremmo	avremmo messo	mettiamo
2 mettereste	avreste messo	mettete
3 metterebbero	avrebbero messo	mettano

SUBJUNCTIVE

PRESENT	IMPERFECT	PLUPERFECT
1 metta	mettessi	avessi messo
2 metta	mettessi	avessi messo
3 metta	mettesse	avesse messo
1 mettiamo	mettessimo	avessimo messo
2 mettiate	metteste	aveste messo
3 mettano	mettessero	avessero messo

PASSATO PROSSIMO	abbia messo *etc*

INFINITIVE	*GERUND*	*PAST PARTICIPLE*
PRESENT	mettendo	messo
mettere		
PAST		
aver(e) messo		

MORDERE
to bite

	PRESENT	IMPERFECT	FUTURE
1	mordo	mordevo	morderò
2	mordi	mordevi	morderai
3	morde	mordeva	morderà
1	mordiamo	mordevamo	morderemo
2	mordete	mordevate	morderete
3	mordono	mordevano	morderanno

	PASSATO REMOTO	PASSATO PROSSIMO	PLUPERFECT
1	morsi	ho morso	avevo morso
2	mordesti	hai morso	avevi morso
3	morse	ha morso	aveva morso
1	mordemmo	abbiamo morso	avevamo morso
2	mordeste	avete morso	avevate morso
3	morsero	hanno morso	avevano morso

PAST ANTERIOR	FUTURE PERFECT
ebbi morso etc	avrò morso etc

CONDITIONAL

	PRESENT	PAST	IMPERATIVE
1	morderei	avrei morso	
2	morderesti	avresti morso	mordi
3	morderebbe	avrebbe morso	morda
1	morderemmo	avremmo morso	mordiamo
2	mordereste	avreste morso	mordete
3	morderebbero	avrebbero morso	mordano

SUBJUNCTIVE

	PRESENT	IMPERFECT	PLUPERFECT
1	morda	mordessi	avessi morso
2	morda	mordessi	avessi morso
3	morda	mordesse	avesse morso
1	mordiamo	mordessimo	avessimo morso
2	mordiate	mordeste	aveste morso
3	mordano	mordessero	avessero morso

PASSATO PROSSIMO	abbia morso etc

INFINITIVE	GERUND	PAST PARTICIPLE
PRESENT	mordendo	morso
mordere		
PAST		
aver(e) morso		

126

MORIRE
to die

PRESENT	IMPERFECT	FUTURE
1 muoio	morivo	morirò
2 muori	morivi	morirai
3 muore	moriva	morirà
1 moriamo	morivamo	moriremo
2 morite	morivate	morirete
3 muoiono	morivano	moriranno

PASSATO REMOTO	PASSATO PROSSIMO	PLUPERFECT
1 morii	sono morto/a	ero morto/a
2 moristi	sei morto/a	eri morto/a
3 morì	è morto/a	era morto/a
1 morimmo	siamo morti/e	eravamo morti/e
2 moriste	siete morti/e	eravate morti/e
3 morirono	sono morti/e	erano morti/e

PAST ANTERIOR		FUTURE PERFECT
fui morto/a etc		sarò morto/a etc

CONDITIONAL		IMPERATIVE

PRESENT	PAST	
1 morirei	sarei morto/a	
2 moriresti	saresti morto/a	muori
3 morirebbe	sarebbe morto/a	muoia
1 moriremmo	saremmo morti/e	moriamo
2 morireste	sareste morti/e	morite
3 morirebbero	sarebbero morti/e	muoiano

SUBJUNCTIVE		

PRESENT	IMPERFECT	PLUPERFECT
1 muoia	morissi	fossi morto/a
2 muoia	morissi	fossi morto/a
3 muoia	morisse	fosse morto/a
1 moriamo	morissimo	fossimo morti/e
2 moriate	moriste	foste morti/e
3 muoiano	morissero	fossero morti/e

PASSATO PROSSIMO	sia morto/a etc

INFINITIVE	GERUND	PAST PARTICIPLE
PRESENT	morendo	morto/a/i/e
morire		
PAST		
esser(e) morto/a/i/e/		

	PRESENT	IMPERFECT	FUTURE
1	mostro	mostravo	mostrerò
2	mostri	mostravi	mostrerai
3	mostra	mostrava	mostrerà
1	mostriamo	mostravamo	mostreremo
2	mostrate	mostravate	mostrerete
3	mostrano	mostravano	mostreranno

	PASSATO REMOTO	PASSATO PROSSIMO	PLUPERFECT
1	mostrai	ho mostrato	avevo mostrato
2	mostrasti	hai mostrato	avevi mostrato
3	mostrò	ha mostrato	aveva mostrato
1	mostrammo	abbiamo mostrato	avevamo mostrato
2	mostraste	avete mostrato	avevate mostrato
3	mostrarono	hanno mostrato	avevano mostrato

PAST ANTERIOR	FUTURE PERFECT
ebbi mostrato *etc*	avrò mostrato *etc*

CONDITIONAL		*IMPERATIVE*

	PRESENT	PAST	
1	mostrerei	avrei mostrato	
2	mostreresti	avresti mostrato	mostra
3	mostrerebbe	avrebbe mostrato	mostri
1	mostreremmo	avremmo mostrato	mostriamo
2	mostrereste	avreste mostrato	mostrate
3	mostrerebbero	avrebbero mostrato	mostrino

SUBJUNCTIVE		

	PRESENT	IMPERFECT	PLUPERFECT
1	mostri	mostrassi	avessi mostrato
2	mostri	mostrassi	avessi mostrato
3	mostri	mostrasse	avesse mostrato
1	mostriamo	mostrassimo	avessimo mostrato
2	mostriate	mostraste	aveste mostrato
3	mostrino	mostrassero	avessero mostrato

PASSATO PROSSIMO	abbia mostrato *etc*

INFINITIVE	*GERUND*	*PAST PARTICIPLE*
PRESENT	mostrando	mostrato
mostrare		
PAST		
aver(e) mostrato		

MUOVERE
to move

PRESENT	IMPERFECT	FUTURE
1 muovo	movevo	moverò
2 muovi	movevi	moverai
3 muove	moveva	moverà
1 m(u)oviamo	movevamo	moveremo
2 m(u)ovete	movevate	moverete
3 muovono	movevano	moveranno

PASSATO REMOTO	PASSATO PROSSIMO	PLUPERFECT
1 mossi	ho mosso	avevo mosso
2 movesti	hai mosso	avevi mosso
3 mosse	ha mosso	aveva mosso
1 movemmo	abbiamo mosso	avevamo mosso
2 moveste	avete mosso	avevate mosso
3 mossero	hanno mosso	avevano mosso

PAST ANTERIOR	FUTURE PERFECT
ebbi mosso etc	avrò mosso etc

CONDITIONAL		*IMPERATIVE*

PRESENT	PAST	
1 moverei	avrei mosso	
2 moveresti	avresti mosso	muovi
3 moverebbe	avrebbe mosso	muova
1 moveremmo	avremmo mosso	moviamo
2 movereste	avreste mosso	movete
3 moverebbero	avrebbero mosso	muovano

SUBJUNCTIVE

PRESENT	IMPERFECT	PLUPERFECT
1 muova	movessi	avessi mosso
2 muova	movessi	avessi mosso
3 muova	movesse	avesse mosso
1 moviamo	movessimo	avessimo mosso
2 moviate	moveste	aveste mosso
3 muovano	movessero	avessero mosso

PASSATO PROSSIMO	abbia mosso etc

INFINITIVE	*GERUND*	*PAST PARTICIPLE*
PRESENT	muovendo/movendo	mosso
muovere		
PAST	**NOTE:** 'muovere' used intransitively takes 'essere' as	
aver(e) mosso	auxiliary; when an optional 'u' is given, the version	
	with the 'u' is commoner	

to be born

	PRESENT	IMPERFECT	FUTURE
1	nasco	nascevo	nascerò
2	nasci	nascevi	nascerai
3	nasce	nasceva	nascerà
1	nasciamo	nascevamo	nasceremo
2	nascete	nascevate	nascerete
3	nascono	nascevano	nasceranno

	PASSATO REMOTO	PASSATO PROSSIMO	PLUPERFECT
1	nacqui	sono nato/a	ero nato/a
2	nascesti	sei nato/a	eri nato/a
3	nacque	è nato/a	era nato/a
1	nascemmo	siamo nati/e	eravamo nati/e
2	nasceste	siete nati/e	eravate nati/e
3	nacquero	sono nati/e	erano nati/e

PAST ANTERIOR	FUTURE PERFECT
fui nato/a *etc*	sarò nato/a *etc*

CONDITIONAL		*IMPERATIVE*

	PRESENT	PAST	
1	nascerei	sarei nato/a	
2	nasceresti	saresti nato/a	nasci
3	nascerebbe	sarebbe nato/a	nasca
1	nasceremmo	saremmo nati/e	nasciamo
2	nascereste	sareste nati/e	nascete
3	nascerebbero	sarebbero nati/e	nascano

SUBJUNCTIVE		

	PRESENT	IMPERFECT	PLUPERFECT
1	nasca	nascessi	fossi nato/a
2	nasca	nascessi	fossi nato/a
3	nasca	nascesse	fosse nato/a
1	nasciamo	nascessimo	fossimo nati/e
2	nasciate	nasceste	foste nati/e
3	nascano	nascessero	fossero nati/e

PASSATO PROSSIMO	sia nato/a *etc*

INFINITIVE	*GERUND*	*PAST PARTICIPLE*
PRESENT	nascendo	nato/a/i/e
nascere		
PAST		
esser(e) nato/a/i/e		

130 NASCONDERE
to hide

PRESENT	IMPERFECT	FUTURE
1 nascondo	nascondevo	nasconderò
2 nascondi	nascondevi	nasconderai
3 nasconde	nascondeva	nasconderà
1 nascondiamo	nascondevamo	nasconderemo
2 nascondete	nascondevate	nasconderete
3 nascondono	nascondevano	nasconderanno

PASSATO REMOTO	PASSATO PROSSIMO	PLUPERFECT
1 nascosi	ho nascosto	avevo nascosto
2 nascondesti	hai nascosto	avevi nascosto
3 nascose	ha nascosto	aveva nascosto
1 nascondemmo	abbiamo nascosto	avevamo nascosto
2 nascondeste	avete nascosto	avevate nascosto
3 nascosero	hanno nascosto	avevano nascosto

PAST ANTERIOR	FUTURE PERFECT
ebbi nascosto *etc*	avrò nascosto *etc*

CONDITIONAL

IMPERATIVE

PRESENT	PAST	
1 nasconderei	avrei nascosto	
2 nasconderesti	avresti nascosto	nascondi
3 nasconderebbe	avrebbe nascosto	nasconda
1 nasconderemmo	avremmo nascosto	nascondiamo
2 nascondereste	avreste nascosto	nascondete
3 nasconderebbero	avrebbero nascosto	nascondano

SUBJUNCTIVE

PRESENT	IMPERFECT	PLUPERFECT
1 nasconda	nascondessi	avessi nascosto
2 nasconda	nascondessi	avessi nascosto
3 nasconda	nascondesse	avesse nascosto
1 nascondiamo	nascondessimo	avessimo nascosto
2 nascondiate	nascondeste	aveste nascosto
3 nascondano	nascondessero	avessero nascosto

PASSATO PROSSIMO	abbia nascosto *etc*

INFINITIVE	GERUND	PAST PARTICIPLE
PRESENT	nascondendo	nascosto
nascondere		
PAST		
aver(e) nascosto		

NEVICARE
to snow

PRESENT	IMPERFECT	FUTURE
1		
2		
3 nevica	nevicava	nevicherà
1		
2		
3		

PASSATO REMOTO	PASSATO PROSSIMO	PLUPERFECT
1		
2		
3 nevicò	è nevicato	era nevicato
1		
2		
3		

PAST ANTERIOR		FUTURE PERFECT
fu nevicato		sarà nevicato

CONDITIONAL		*IMPERATIVE*
PRESENT	**PAST**	
1		
2		
3 nevicherebbe	sarebbe nevicato	
1		
2		
3		

SUBJUNCTIVE

PRESENT	IMPERFECT	PLUPERFECT
1		
2		
3 nevichi	nevicasse	fosse nevicato
1		
2		
3		

PASSATO PROSSIMO	sia nevicato

INFINITIVE	*GERUND*	*PAST PARTICIPLE*
PRESENT	nevicando	nevicato
nevicare		
PAST	NOTE: 'avere' may also be heard as auxiliary,	
esser(e) nevicato	but is less correct than 'essere'	

NUOCERE
to harm

PRESENT	IMPERFECT	FUTURE
1 n(u)occio	n(u)ocevo	n(u)ocerò
2 nuoci	n(u)ocevi	n(u)ocerai
3 nuoce	n(u)oceva	n(u)ocerà
1 n(u)ociamo	n(u)ocevamo	n(u)oceremo
2 n(u)ocete	n(u)ocevate	n(u)ocerete
3 n(u)occiono	n(u)ocevano	n(u)oceranno

PASSATO REMOTO	PASSATO PROSSIMO	PLUPERFECT
1 nocqui	ho nociuto	avevo nociuto
2 nocesti	hai nociuto	avevi nociuto
3 nocque	ha nociuto	aveva nociuto
1 nocemmo	abbiamo nociuto	avevamo nociuto
2 noceste	avete nociuto	avevate nociuto
3 nocquero	hanno nociuto	avevano nociuto

PAST ANTERIOR	FUTURE PERFECT
ebbi nociuto *etc*	avrò nociuto *etc*

CONDITIONAL		*IMPERATIVE*

PRESENT	PAST	
1 n(u)ocerei	avrei nociuto	
2 n(u)oceresti	avresti nociuto	nuoci
3 n(u)ocerebbe	avrebbe nociuto	n(u)occia
1 n(u)oceremmo	avremmo nociuto	nociamo
2 n(u)ocereste	avreste nociuto	nocete
3 n(u)ocerebbero	avrebbero nociuto	n(u)occiano

SUBJUNCTIVE

PRESENT	IMPERFECT	PLUPERFECT
1 n(u)occia	n(u)ocessi	avessi nociuto
2 noccia	n(u)ocessi	avessi nociuto
3 noccia	n(u)ocesse	avesse nociuto
1 nociamo	n(u)ocessimo	avessimo nociuto
2 nociate	n(u)oceste	aveste nociuto
3 n(u)occiano	n(u)ocessero	avessero nociuto

PASSATO PROSSIMO	abbia nociuto *etc*

INFINITIVE	*GERUND*	*PAST PARTICIPLE*
PRESENT	n(u)ocendo	nociuto
nuocere		
PAST		
aver(e) nociuto	**NOTE:** the version with the 'u' is commoner

NUOTARE
to swim

	PRESENT	IMPERFECT	FUTURE
1	nuoto	nuotavo	nuoterò
2	nuoti	nuotavi	nuoterai
3	nuota	nuotava	nuoterà
1	nuotiamo	nuotavamo	nuoteremo
2	nuotate	nuotavate	nuoterete
3	nuotano	nuotavano	nuoteranno

	PASSATO REMOTO	PASSATO PROSSIMO	PLUPERFECT
1	nuotai	ho nuotato	avevo nuotato
2	nuotasti	hai nuotato	avevi nuotato
3	nuotò	ha nuotato	aveva nuotato
1	nuotammo	abbiamo nuotato	avevamo nuotato
2	nuotaste	avete nuotato	avevate nuotato
3	nuotarono	hanno nuotato	avevano nuotato

PAST ANTERIOR	FUTURE PERFECT
ebbi nuotato *etc*	avrò nuotato *etc*

CONDITIONAL		*IMPERATIVE*

	PRESENT	PAST	
1	nuoterei	avrei nuotato	
2	nuoteresti	avresti nuotato	nuota
3	nuoterebbe	avrebbe nuotato	nuoti
1	nuoteremmo	avremmo nuotato	nuotiamo
2	nuotereste	avreste nuotato	nuotate
3	nuoterebbero	avrebbero nuotato	nuotino

SUBJUNCTIVE

	PRESENT	IMPERFECT	PLUPERFECT
1	nuoti	nuotassi	avessi nuotato
2	nuoti	nuotassi	avessi nuotato
3	nuoti	nuotasse	avesse nuotato
1	nuotiamo	nuotassimo	avessimo nuotato
2	nuotiate	nuotaste	aveste nuotato
3	nuotino	nuotassero	avessero nuotato

PASSATO PROSSIMO	abbia nuotato *etc*

INFINITIVE	*GERUND*	*PAST PARTICIPLE*
PRESENT	nuotando	nuotato
nuotare		
PAST		
aver(e) nuotato		

OFFENDERE
to offend

PRESENT	IMPERFECT	FUTURE
1 offendo	offendevo	offenderò
2 offendi	offendevi	offenderai
3 offende	offendeva	offenderà
1 offendiamo	offendevamo	offenderemo
2 offendete	offendevate	offenderete
3 offendono	offendevano	offenderanno

PASSATO REMOTO	PASSATO PROSSIMO	PLUPERFECT
1 offesi	ho offeso	avevo offeso
2 offendesti	hai offeso	avevi offeso
3 offese	ha offeso	aveva offeso
1 offendemmo	abbiamo offeso	avevamo offeso
2 offendeste	avete offeso	avevate offeso
3 offesero	hanno offeso	avevano offeso

PAST ANTERIOR		FUTURE PERFECT
ebbi offeso *etc*		avrò offeso *etc*

CONDITIONAL		*IMPERATIVE*

PRESENT	PAST	
1 offenderei	avrei offeso	
2 offenderesti	avresti offeso	offendi
3 offenderebbe	avrebbe offeso	offenda
1 offenderemmo	avremmo offeso	offendiamo
2 offendereste	avreste offeso	offendete
3 offenderebbero	avrebbero offeso	offendano

SUBJUNCTIVE

PRESENT	IMPERFECT	PLUPERFECT
1 offenda	offendessi	avessi offeso
2 offenda	offendessi	avessi offeso
3 offenda	offendesse	avesse offeso
1 offendiamo	offendessimo	avessimo offeso
2 offendiate	offendeste	aveste offeso
3 offendano	offendessero	avessero offeso

PASSATO PROSSIMO	abbia offeso *etc*

INFINITIVE	*GERUND*	*PAST PARTICIPLE*
PRESENT	offendendo	offeso
offendere		
PAST		
aver(e) offeso		

OFFRIRE
to offer

PRESENT	IMPERFECT	FUTURE
1 offro	offrivo	offrirò
2 offri	offrivi	offrirai
3 offre	offriva	offrirà
1 offriamo	offrivamo	offriremo
2 offrite	offrivate	offrirete
3 offrono	offrivano	offriranno

PASSATO REMOTO	PASSATO PROSSIMO	PLUPERFECT
1 offrii/offersi	ho offerto	avevo offerto
2 offristi	hai offerto	avevi offerto
3 offrì/offerse	ha offerto	aveva offerto
1 offrimmo	abbiamo offerto	avevamo offerto
2 offriste	avete offerto	avevate offerto
3 offrirono/offersero	hanno offerto	avevano offerto

PAST ANTERIOR	FUTURE PERFECT
ebbi offerto *etc*	avrò offerto *etc*

CONDITIONAL		*IMPERATIVE*

PRESENT	PAST	
1 offrirei	avrei offerto	
2 offriresti	avresti offerto	offri
3 offrirebbe	avrebbe offerto	offra
1 offriremmo	avremmo offerto	offriamo
2 offrireste	avreste offerto	offrite
3 offrirebbero	avrebbero offerto	offrano

SUBJUNCTIVE

PRESENT	IMPERFECT	PLUPERFECT
1 offra	offrissi	avessi offerto
2 offra	offrissi	avessi offerto
3 offra	offrisse	avesse offerto
1 offriamo	offrissimo	avessimo offerto
2 offriate	offriste	aveste offerto
3 offrano	offrissero	avessero offerto

PASSATO PROSSIMO	abbia offerto *etc*

INFINITIVE	*GERUND*	*PAST PARTICIPLE*
PRESENT	offrendo	offerto
offrire		
PAST		
aver(e) offerto		

PAGARE
to pay

PRESENT	IMPERFECT	FUTURE
1 pago	pagavo	pagherò
2 paghi	pagavi	pagherai
3 paga	pagava	pagherà
1 paghiamo	pagavamo	pagheremo
2 pagate	pagavate	pagherete
3 pagano	pagavano	pagheranno

PASSATO REMOTO	PASSATO PROSSIMO	PLUPERFECT
1 pagai	ho pagato	avevo pagato
2 pagasti	hai pagato	avevi pagato
3 pagò	ha pagato	aveva pagato
1 pagammo	abbiamo pagato	avevamo pagato
2 pagaste	avete pagato	avevate pagato
3 pagarono	hanno pagato	avevano pagato

PAST ANTERIOR	FUTURE PERFECT
ebbi pagato *etc*	avrò pagato *etc*

CONDITIONAL		*IMPERATIVE*
PRESENT	**PAST**	
1 pagherei	avrei pagato	
2 pagheresti	avresti pagato	paga
3 pagherebbe	avrebbe pagato	paghi
1 pagheremmo	avremmo pagato	paghiamo
2 paghereste	avreste pagato	pagate
3 pagherebbero	avrebbero pagato	paghino

SUBJUNCTIVE

PRESENT	IMPERFECT	PLUPERFECT
1 paghi	pagassi	avessi pagato
2 paghi	pagassi	avessi pagato
3 paghi	pagasse	avesse pagato
1 paghiamo	pagassimo	avessimo pagato
2 paghiate	pagaste	aveste pagato
3 paghino	pagassero	avessero pagato

PASSATO PROSSIMO	abbia pagato *etc*

INFINITIVE	*GERUND*	*PAST PARTICIPLE*
PRESENT	pagando	pagato
pagare		
PAST		
aver(e) pagato		

PARERE
to seem

PRESENT	IMPERFECT	FUTURE
1 paio	parevo	parrò
2 pari	parevi	parrai
3 pare	pareva	parrà
1 paiamo	parevamo	parremo
2 parete	parevate	parrete
3 paiono	parevano	parranno

PASSATO REMOTO	PASSATO PROSSIMO	PLUPERFECT
1 parvi/parsi	sono parso/a	ero parso/a
2 paresti	sei parso/a	eri parso/a
3 parve/parse	è parso/a	era parso/a
1 paremmo	siamo parsi/e	eravamo parsi/e
2 pareste	siete parsi/e	eravate parsi/e
3 parvero/parsero	sono parsi/e	erano parsi/e

PAST ANTERIOR	FUTURE PERFECT
fui parso/a *etc*	sarò parso/a *etc*

CONDITIONAL		*IMPERATIVE*

PRESENT	PAST	
1 parrei	sarei parso/a	
2 parresti	saresti parso/a	
3 parrebbe	sarebbe parso/a	
1 parremmo	saremmo parsi/e	
2 parreste	sareste parsi/e	
3 parrebbero	sarebbero parsi/e	

SUBJUNCTIVE

PRESENT	IMPERFECT	PLUPERFECT
1 paia	paressi	fossi parso/a
2 paia	paressi	fossi parso/a
3 paia	paresse	fosse parso/a
1 paiamo	paressimo	fossimo parsi/e
2 paiate	pareste	foste parsi/e
3 paiano	paressero	fossero parsi/e

PASSATO PROSSIMO	sia parso/a *etc*

INFINITIVE	*GERUND*	*PAST PARTICIPLE*
PRESENT	parendo	parso/a/i/e
parere		
PAST		
esser(e) parso/a/i/e		

NOTE: most commonly used in impersonal constructions, eg: I seem to have understood everything = mi pare di aver capito tutto

PARLARE
to speak, talk

	PRESENT	IMPERFECT	FUTURE
1	parlo	parlavo	parlerò
2	parli	parlavi	parlerai
3	parla	parlava	parlerà
1	parliamo	parlavamo	parleremo
2	parlate	parlavate	parlerete
3	parlano	parlavano	parleranno

	PASSATO REMOTO	PASSATO PROSSIMO	PLUPERFECT
1	parlai	ho parlato	avevo parlato
2	parlasti	hai parlato	avevi parlato
3	parlò	ha parlato	aveva parlato
1	parlammo	abbiamo parlato	avevamo parlato
2	parlaste	avete parlato	avevate parlato
3	parlarono	hanno parlato	avevano parlato

PAST ANTERIOR	FUTURE PERFECT
ebbi parlato *etc*	avrò parlato *etc*

CONDITIONAL		*IMPERATIVE*

	PRESENT	PAST	
1	parlerei	avrei parlato	
2	parleresti	avresti parlato	parla
3	parlerebbe	avrebbe parlato	parli
1	parleremmo	avremmo parlato	parliamo
2	parlereste	avreste parlato	parlate
3	parlerebbero	avrebbero parlato	parlino

SUBJUNCTIVE

	PRESENT	IMPERFECT	PLUPERFECT
1	parli	parlassi	avessi parlato
2	parli	parlassi	avessi parlato
3	parli	parlasse	avesse parlato
1	parliamo	parlassimo	avessimo parlato
2	parliate	parlaste	aveste parlato
3	parlino	parlassero	avessero parlato

PASSATO PROSSIMO	abbia parlato *etc*

INFINITIVE	*GERUND*	*PAST PARTICIPLE*
PRESENT	parlando	parlato
parlare		
PAST		
aver(e) parlato		

to leave

PRESENT	IMPERFECT	FUTURE
1 parto	partivo	partirò
2 parti	partivi	partirai
3 parte	partiva	partirà
1 partiamo	partivamo	partiremo
2 partite	partivate	partirete
3 partono	partivano	partiranno

PASSATO REMOTO	PASSATO PROSSIMO	PLUPERFECT
1 partii	sono partito/a	ero partito/a
2 partisti	sei partito/a	eri partito/a
3 partì	è partito/a	era partito/a
1 partimmo	siamo partiti/e	eravamo partiti/e
2 partiste	siete partiti/e	eravate partiti/e
3 partirono	sono partiti/e	erano partiti/e

PAST ANTERIOR		FUTURE PERFECT
fui partito/a *etc*		sarò partito/a *etc*

CONDITIONAL		*IMPERATIVE*

PRESENT	PAST	
1 partirei	sarei partito/a	
2 partiresti	saresti partito/a	parti
3 partirebbe	sarebbe partito/a	parta
1 partiremmo	saremmo partiti/e	partiamo
2 partireste	sareste partiti/e	partite
3 partirebbero	sarebbero partiti/e	partano

SUBJUNCTIVE

PRESENT	IMPERFECT	PLUPERFECT
1 parta	partissi	fossi partito/a
2 parta	partissi	fossi partito/a
3 parta	partisse	fosse partito/a
1 partiamo	partissimo	fossimo partiti/e
2 partiate	partiste	foste partiti/e
3 partano	partissero	fossero partiti/e

PASSATO PROSSIMO	sia partito/a *etc*	

INFINITIVE	*GERUND*	*PAST PARTICIPLE*
PRESENT partire	partendo	partito/a/i/e
PAST esser(e) partito/a/i/e		

PASSARE
to pass (by)

PRESENT	IMPERFECT	FUTURE
1 passo	passavo	passerò
2 passi	passavi	passerai
3 passa	passava	passerà
1 passiamo	passavamo	passeremo
2 passate	passavate	passerete
3 passano	passavano	passeranno

PASSATO REMOTO	PASSATO PROSSIMO	PLUPERFECT
1 passai	sono passato/a	ero passato/a
2 passasti	sei passato/a	eri passato/a
3 passò	è passato/a	era passato/a
1 passammo	siamo passati/e	eravamo passati/e
2 passaste	siete passati/e	eravate passati/e
3 passarono	sono passati/e	erano passati/e

PAST ANTERIOR	FUTURE PERFECT
fui passato/a *etc*	sarò passato/a *etc*

CONDITIONAL

		IMPERATIVE

PRESENT	PAST	
1 passerei	sarei passato/a	
2 passeresti	saresti passato/a	passa
3 passerebbe	sarebbe passato/a	passi
1 passeremmo	saremmo passati/e	passiamo
2 passereste	sareste passati/e	passate
3 passerebbero	sarebbero passati/e	passino

SUBJUNCTIVE

PRESENT	IMPERFECT	PLUPERFECT
1 passi	passassi	fossi passato/a
2 passi	passassi	fossi passato/a
3 passi	passasse	fosse passato/a
1 passiamo	passassimo	fossimo passati/e
2 passiate	passaste	foste passati/e
3 passino	passassero	fossero passati/e

PASSATO PROSSIMO	sia passato/a *etc*

INFINITIVE	GERUND	PAST PARTICIPLE
PRESENT	passando	passato/a/i/e
passare		

NOTE: when transitive the auxiliary is 'avere', eg:
I have passed the book to my friend = ho passato

PAST
esser(e) passato/a/i/e

il libro al mio amico

to go for a walk

	PRESENT	IMPERFECT	FUTURE
1	passeggio	passeggiavo	passeggerò
2	passeggi	passeggiavi	passeggerai
3	passeggia	passeggiava	passeggerà
1	passeggiamo	passeggiavamo	passeggeremo
2	passeggiate	passeggiavate	passeggerete
3	passeggiano	passeggiavano	passeggeranno

	PASSATO REMOTO	PASSATO PROSSIMO	PLUPERFECT
1	passeggiai	ho passeggiato	avevo passeggiato
2	passeggiasti	hai passeggiato	avevi passeggiato
3	passeggiò	ha passeggiato	aveva passeggiato
1	passeggiammo	abbiamo passeggiato	avevamo passeggiato
2	passeggiaste	avete passeggiato	avevate passeggiato
3	passeggiarono	hanno passeggiato	avevano passeggiato

PAST ANTERIOR	FUTURE PERFECT
ebbi passeggiato *etc*	avrò passeggiato *etc*

CONDITIONAL		IMPERATIVE

	PRESENT	PAST	
1	passeggerei	avrei passeggiato	
2	passeggeresti	avresti passeggiato	passeggia
3	passeggerebbe	avrebbe passeggiato	passeggi
1	passeggeremmo	avremmo passeggiato	passeggiamo
2	passeggereste	avreste passeggiato	passeggiate
3	passeggerebbero	avrebbero passeggiato	passeggino

SUBJUNCTIVE

	PRESENT	IMPERFECT	PLUPERFECT
1	passeggi	passeggiassi	avessi passeggiato
2	passeggi	passeggiassi	avessi passeggiato
3	passeggi	passeggiasse	avesse passeggiato
1	passeggiamo	passeggiassimo	avessimo passeggiato
2	passeggiate	passeggiaste	aveste passeggiato
3	passeggino	passeggiassero	avessero passeggiato

PASSATO PROSSIMO	abbia passeggiato *etc*

INFINITIVE	GERUND	PAST PARTICIPLE
PRESENT	passeggiando	passeggiato
passeggiare		
PAST		
aver(e) passeggiato		

PENSARE
to think

PRESENT	IMPERFECT	FUTURE
1 penso	pensavo	penserò
2 pensi	pensavi	penserai
3 pensa	pensava	penserà
1 pensiamo	pensavamo	penseremo
2 pensate	pensavate	penserete
3 pensano	pensavano	penseranno

PASSATO REMOTO	PASSATO PROSSIMO	PLUPERFECT
1 pensai	ho pensato	avevo pensato
2 pensasti	hai pensato	avevi pensato
3 pensò	ha pensato	aveva pensato
1 pensammo	abbiamo pensato	avevamo pensato
2 pensaste	avete pensato	avevate pensato
3 pensarono	hanno pensato	avevano pensato

PAST ANTERIOR	FUTURE PERFECT
ebbi pensato *etc*	avrò pensato *etc*

CONDITIONAL

IMPERATIVE

PRESENT	PAST	
1 penserei	avrei pensato	
2 penseresti	avresti pensato	pensa
3 penserebbe	avrebbe pensato	pensi
1 penseremmo	avremmo pensato	pensiamo
2 pensereste	avreste pensato	pensate
3 penserebbero	avrebbero pensato	pensino

SUBJUNCTIVE

PRESENT	IMPERFECT	PLUPERFECT
1 pensi	pensassi	avessi pensato
2 pensi	pensassi	avessi pensato
3 pensi	pensasse	avesse pensato
1 pensiamo	pensassimo	avessimo pensato
2 pensiate	pensaste	aveste pensato
3 pensino	pensassero	avessero pensato

PASSATO PROSSIMO	abbia pensato *etc*

INFINITIVE	*GERUND*	*PAST PARTICIPLE*
PRESENT	pensando	pensato
pensare		
PAST		
aver(e) pensato		

to lose

PRESENT	IMPERFECT	FUTURE
1 perdo	perdevo	perderò
2 perdi	perdevi	perderai
3 perde	perdeva	perderà
1 perdiamo	perdevamo	perderemo
2 perdete	perdevate	perderete
3 perdono	perdevano	perderanno

PASSATO REMOTO	PASSATO PROSSIMO	PLUPERFECT
1 persi	ho perduto/perso	avevo perduto/perso
2 perdesti	hai perduto/perso	avevi perduto/perso
3 perse	ha perduto/perso	aveva perduto/perso
1 perdemmo	abbiamo perduto/perso	avevamo perduto/perso
2 perdeste	avete perduto/perso	avevate perduto/perso
3 persero	hanno perduto/perso	avevano perduto/perso

PAST ANTERIOR	FUTURE PERFECT
ebbi perduto/perso *etc*	avrò perduto/perso *etc*

CONDITIONAL		*IMPERATIVE*

PRESENT	PAST	
1 perderei	avrei perduto/perso	
2 perderesti	avresti perduto/perso	perdi
3 perderebbe	avrebbe perduto/perso	perda
1 perderemmo	avremmo perduto/perso	perdiamo
2 perdereste	avreste perduto/perso	perdete
3 perderebbero	avrebbero perduto/perso	perdano

SUBJUNCTIVE

PRESENT	IMPERFECT	PLUPERFECT
1 perda	perdessi	avessi perduto/perso
2 perda	perdessi	avessi perduto/perso
3 perda	perdesse	avesse perduto/perso
1 perdiamo	perdessimo	avessimo perduto/perso
2 perdiate	perdeste	aveste perduto/perso
3 perdano	perdessero	avessero perduto/perso

PASSATO PROSSIMO	abbia perduto/perso *etc*

INFINITIVE	*GERUND*	*PAST PARTICIPLE*
PRESENT	perdendo	perduto/perso
perdere		
PAST		
aver(e) perduto/perso		

NOTE: 'perdere' has two past participles ('perduto' and 'perso') which are entirely interchangeable

144

PERSUADERE
to persuade

PRESENT	IMPERFECT	FUTURE
1 persuado	persuadevo	persuaderò
2 persuadi	persuadevi	persuaderai
3 persuade	persuadeva	persuaderà
1 persuadiamo	persuadevamo	persuaderemo
2 persuadete	persuadevate	persuaderete
3 persuadono	persuadevano	persuaderanno

PASSATO REMOTO	PASSATO PROSSIMO	PLUPERFECT
1 persuasi	ho persuaso	avevo persuaso
2 persuadesti	hai persuaso	avevi persuaso
3 persuase	ha persuaso	aveva persuaso
1 persuademmo	abbiamo persuaso	avevamo persuaso
2 persuadeste	avete persuaso	avevate persuaso
3 persuasero	hanno persuaso	avevano persuaso

PAST ANTERIOR	FUTURE PERFECT
ebbi persuaso *etc*	avrò persuaso *etc*

CONDITIONAL		IMPERATIVE

PRESENT	PAST	
1 persuaderei	avrei persuaso	
2 persuaderesti	avresti persuaso	persuadi
3 persuaderebbe	avrebbe persuaso	persuada
1 persuaderemmo	avremmo persuaso	persuadiamo
2 persuadereste	avreste persuaso	persuadete
3 persuaderebbero	avrebbero persuaso	persuadano

SUBJUNCTIVE

PRESENT	IMPERFECT	PLUPERFECT
1 persuada	persuadessi	avessi persuaso
2 persuada	persuadessi	avessi persuaso
3 persuada	persuadesse	avesse persuaso
1 persuadiamo	persuadessimo	avessimo persuaso
2 persuadiate	persuadeste	aveste persuaso
3 persuadano	persuadessero	avessero persuaso

PASSATO PROSSIMO	abbia persuaso *etc*

INFINITIVE	GERUND	PAST PARTICIPLE
PRESENT	persuadendo	persuaso
persuadere		
PAST		
aver(e) persuaso		

PIACERE
to please

	PRESENT	IMPERFECT	FUTURE
1	piaccio	piacevo	piacerò
2	piaci	piacevi	piacerai
3	piace	piaceva	piacerà
1	piacciamo	piacevamo	piaceremo
2	piacete	piacevate	piacerete
3	piacciono	piacevano	piaceranno

	PASSATO REMOTO	PASSATO PROSSIMO	PLUPERFECT
1	piacqui	sono piaciuto/a	ero piaciuto/a
2	piacesti	sei piaciuto/a	eri piaciuto/a
3	piacque	è piaciuto/a	era piaciuto/a
1	piacemmo	siamo piaciuti/e	eravamo piaciuti/e
2	piaceste	siete piaciuti/e	eravate piaciuti/e
3	piacquero	sono piaciuti/e	erano piaciuti/e

PAST ANTERIOR	FUTURE PERFECT
fui piaciuto/a *etc*	sarò piaciuto/a *etc*

CONDITIONAL

IMPERATIVE

	PRESENT	PAST
1	piacerei	sarei piaciuto/a
2	piaceresti	saresti piaciuto/a
3	piacerebbe	sarebbe piaciuto/a
1	piaceremmo	saremmo piaciuti/e
2	piacereste	sareste piaciuti/e
3	piacerebbero	sarebbero piaciuti/e

SUBJUNCTIVE

	PRESENT	IMPERFECT	PLUPERFECT
1	piaccia	piacessi	fossi piaciuto/a
2	piaccia	piacessi	fossi piaciuto/a
3	piaccia	piacesse	fosse piaciuto/a
1	piacciamo	piacessimo	fossimo piaciuti/e
2	piacciate	piaceste	foste piaciuti/e
3	piacciano	piacessero	fossero piaciuti/e

PASSATO PROSSIMO	sia piaciuto/a *etc*

INFINITIVE	GERUND	PAST PARTICIPLE
PRESENT	piacendo	piaciuto/a/i/e
piacere		
PAST	NOTE: 'piacere' is most commonly used impersonally in the	
esser(e) piaciuto/a/i/e	third person singular and plural	

PIANGERE
to cry

PRESENT	IMPERFECT	FUTURE
1 piango	piangevo	piangerò
2 piangi	piangevi	piangerai
3 piange	piangeva	piangerà
1 piangiamo	piangevamo	piangeremo
2 piangete	piangevate	piangerete
3 piangono	piangevano	piangeranno

PASSATO REMOTO	PASSATO PROSSIMO	PLUPERFECT
1 piansi	ho pianto	avevo pianto
2 piangesti	hai pianto	avevi pianto
3 pianse	ha pianto	aveva pianto
1 piangemmo	abbiamo pianto	avevamo pianto
2 piangeste	avete pianto	avevate pianto
3 piansero	hanno pianto	avevano pianto

PAST ANTERIOR		FUTURE PERFECT
ebbi pianto *etc*		avrò pianto *etc*

CONDITIONAL		*IMPERATIVE*

PRESENT	PAST	
1 piangerei	avrei pianto	
2 piangeresti	avresti pianto	piangi
3 piangerebbe	avrebbe pianto	pianga
1 piangeremmo	avremmo pianto	piangiamo
2 piangereste	avreste pianto	piangete
3 piangerebbero	avrebbero pianto	piangano

SUBJUNCTIVE		

PRESENT	IMPERFECT	PLUPERFECT
1 pianga	piangessi	avessi pianto
2 pianga	piangessi	avessi pianto
3 pianga	piangesse	avesse pianto
1 piangiamo	piangessimo	avessimo pianto
2 piangiate	piangeste	aveste pianto
3 piangano	piangessero	avessero pianto

PASSATO PROSSIMO	abbia pianto *etc*	

INFINITIVE	*GERUND*	*PAST PARTICIPLE*
PRESENT	piangendo	pianto
piangere		
PAST		
aver(e) pianto		

PIOVERE
to rain

PRESENT	IMPERFECT	FUTURE
1		
2		
3 piove	pioveva	pioverà
1		
2		
3		

PASSATO REMOTO	PASSATO PROSSIMO	PLUPERFECT
1		
2		
3 piovve	è piovuto	era piovuto
1		
2		
3		

PAST ANTERIOR		FUTURE PERFECT
fu piovuto		sarà piovuto

CONDITIONAL		*IMPERATIVE*
PRESENT	PAST	
1		
2		
3 pioverebbe	sarebbe piovuto	
1		
2		
3		

SUBJUNCTIVE		
PRESENT	IMPERFECT	PLUPERFECT
1		
2		
3 piova	piovesse	fosse piovuto
1		
2		
3		

PASSATO PROSSIMO	sia piovuto	

INFINITIVE	*GERUND*	*PAST PARTICIPLE*
PRESENT	piovendo	piovuto
piovere		
PAST	**NOTE:** 'avere' may also be heard as auxiliary, but is less	
esser(e) piovuto	correct than 'essere'	

148

PORGERE
to hand

PRESENT	IMPERFECT	FUTURE
1 porgo	porgevo	porgerò
2 porgi	porgevi	porgerai
3 porge	porgeva	porgerà
1 porgiamo	porgevamo	porgeremo
2 porgete	porgevate	porgerete
3 porgono	porgevano	porgeranno

PASSATO REMOTO	PASSATO PROSSIMO	PLUPERFECT
1 porsi	ho porto	avevo porto
2 porgesti	hai porto	avevi porto
3 porse	ha porto	aveva porto
1 porgemmo	abbiamo porto	avevamo porto
2 porgeste	avete porto	avevate porto
3 porsero	hanno porto	avevano porto

PAST ANTERIOR	FUTURE PERFECT
ebbi porto *etc*	avrò porto *etc*

CONDITIONAL		*IMPERATIVE*
PRESENT	**PAST**	
1 porgerei	avrei porto	
2 porgeresti	avresti porto	porgi
3 porgerebbe	avrebbe porto	porga
1 porgeremmo	avremmo porto	porgiamo
2 porgereste	avreste porto	porgete
3 porgerebbero	avrebbero porto	porgano

SUBJUNCTIVE

PRESENT	IMPERFECT	PLUPERFECT
1 porga	porgessi	avessi porto
2 porga	porgessi	avessi porto
3 porga	porgesse	avesse porto
1 porgiamo	porgessimo	avessimo porto
2 porgiate	porgeste	aveste porto
3 porgano	porgessero	avessero porto

PASSATO PROSSIMO	abbia porto *etc*

INFINITIVE	*GERUND*	*PAST PARTICIPLE*
PRESENT	porgendo	porto
porgere		
PAST		
aver(e) porto		

	PRESENT	**IMPERFECT**	**FUTURE**
			porrò
1	pongo	ponevo	porrò
2	poni	ponevi	porrai
3	pone	poneva	porrà
1	poniamo	ponevamo	porremo
2	ponete	ponevate	porrete
3	pongono	ponevano	porranno

	PASSATO REMOTO	**PASSATO PROSSIMO**	**PLUPERFECT**
1	posi	ho posto	avevo posto
2	ponesti	hai posto	avevi posto
3	pose	ha posto	aveva posto
1	ponemmo	abbiamo posto	avevamo posto
2	poneste	avete posto	avevate posto
3	posero	hanno posto	avevano posto

	PAST ANTERIOR	**FUTURE PERFECT**
	ebbi posto *etc*	avrò posto *etc*

	CONDITIONAL		*IMPERATIVE*
	PRESENT	**PAST**	
1	porrei	avrei posto	
2	porresti	avresti posto	poni
3	porrebbe	avrebbe posto	ponga
1	porremmo	avremmo posto	poniamo
2	porreste	avreste posto	ponete
3	porrebbero	avrebbero posto	pongano

SUBJUNCTIVE

	PRESENT	**IMPERFECT**	**PLUPERFECT**
1	ponga	ponessi	avessi posto
2	ponga	ponessi	avessi posto
3	ponga	ponesse	avesse posto
1	poniamo	ponessimo	avessimo posto
2	poniate	poneste	aveste posto
3	pongano	ponessero	avessero posto

PASSATO PROSSIMO abbia posto *etc*

INFINITIVE	*GERUND*	*PAST PARTICIPLE*
PRESENT	ponendo	posto
porre		
PAST		
aver(e) posto		

150 PORTARE
to bring, carry, wear

PRESENT	IMPERFECT	FUTURE
1 porto	portavo	porterò
2 porti	portavi	porterai
3 porta	portava	porterà
1 portiamo	portavamo	porteremo
2 portate	portavate	porterete
3 portano	portavano	porteranno

PASSATO REMOTO	PASSATO PROSSIMO	PLUPERFECT
1 portai	ho portato	avevo portato
2 portasti	hai portato	avevi portato
3 portò	ha portato	aveva portato
1 portammo	abbiamo portato	avevamo portato
2 portaste	avete portato	avevate portato
3 portarono	hanno portato	avevano portato

PAST ANTERIOR	FUTURE PERFECT
ebbi portato *etc*	avrò portato *etc*

CONDITIONAL · IMPERATIVE

PRESENT	PAST	
1 porterei	avrei portato	
2 porteresti	avresti portato	porta
3 porterebbe	avrebbe portato	porti
1 porteremmo	avremmo portato	portiamo
2 portereste	avreste portato	portate
3 porterebbero	avrebbero portato	portino

SUBJUNCTIVE

PRESENT	IMPERFECT	PLUPERFECT
1 porti	portassi	avessi portato
2 porti	portassi	avessi portato
3 porti	portasse	avesse portato
1 portiamo	portassimo	avessimo portato
2 portiate	portaste	aveste portato
3 portino	portassero	avessero portato

PASSATO PROSSIMO	abbia portato *etc*

INFINITIVE	GERUND	PAST PARTICIPLE
PRESENT	portando	portato
portare		
PAST		
aver(e) portato		

POTERE
to be able to

	PRESENT	IMPERFECT	FUTURE
1	posso	potevo	potrò
2	puoi	potevi	potrai
3	può	poteva	potrà
1	possiamo	potevamo	potremo
2	potete	potevate	potrete
3	possono	potevano	potranno

	PASSATO REMOTO	PASSATO PROSSIMO	PLUPERFECT
1	potei/potetti	ho potuto	avevo potuto
2	potesti	hai potuto	avevi potuto
3	poté/potette	ha potuto	aveva potuto
1	potemmo	abbiamo potuto	avevamo potuto
2	poteste	avete potuto	avevate potuto
3	poterono/potettero	hanno potuto	avevano potuto

PAST ANTERIOR	FUTURE PERFECT
ebbi potuto *etc*	avrò potuto *etc*

CONDITIONAL

IMPERATIVE

	PRESENT	PAST
1	potrei	avrei potuto
2	potresti	avresti potuto
3	potrebbe	avrebbe potuto
1	potremmo	avremmo potuto
2	potreste	avreste potuto
3	potrebbero	avrebbero potuto

SUBJUNCTIVE

	PRESENT	IMPERFECT	PLUPERFECT
1	possa	potessi	avessi potuto
2	possa	potessi	avessi potuto
3	possa	potesse	avesse potuto
1	possiamo	potessimo	avessimo potuto
2	possiate	poteste	aveste potuto
3	possano	potessero	avessero potuto

PASSATO PROSSIMO	abbia potuto *etc*

INFINITIVE	*GERUND*	*PAST PARTICIPLE*
PRESENT	potendo	potuto
potere		
PAST		
aver(e) potuto		

NOTE: In compound tenses 'potere' takes the same auxiliary as the following verb, eg: I was able to come = sono potuto/a venire; I was able to eat = ho potuto mangiare

PREFERIRE
to prefer

	PRESENT	IMPERFECT	FUTURE
1	preferisco	preferivo	preferirò
2	preferisci	preferivi	preferirai
3	preferisce	preferiva	preferirà
1	preferiamo	preferivamo	preferiremo
2	preferite	preferivate	preferirete
3	preferiscono	preferivano	preferiranno

	PASSATO REMOTO	PASSATO PROSSIMO	PLUPERFECT
1	preferii	ho preferito	avevo preferito
2	preferisti	hai preferito	avevi preferito
3	preferì	ha preferito	aveva preferito
1	preferimmo	abbiamo preferito	avevamo preferito
2	preferiste	avete preferito	avevate preferito
3	preferirono	hanno preferito	avevano preferito

	PAST ANTERIOR		FUTURE PERFECT
	ebbi preferito *etc*		avrò preferito *etc*

CONDITIONAL

IMPERATIVE

	PRESENT	PAST	
1	preferirei	avrei preferito	
2	preferiresti	avresti preferito	preferisci
3	preferirebbe	avrebbe preferito	preferisca
1	preferiremmo	avremmo preferito	preferiamo
2	preferireste	avreste preferito	preferite
3	preferirebbero	avrebbero preferito	preferiscano

SUBJUNCTIVE

	PRESENT	IMPERFECT	PLUPERFECT
1	preferisca	preferissi	avessi preferito
2	preferisca	preferissi	avessi preferito
3	preferisca	preferisse	avesse preferito
1	preferiamo	preferissimo	avessimo preferito
2	preferiate	preferiste	aveste preferito
3	preferiscano	preferissero	avessero preferito

	PASSATO PROSSIMO	abbia preferito *etc*

INFINITIVE	GERUND	PAST PARTICIPLE
PRESENT	preferendo	preferito
preferire		
PAST		
aver(e) preferito		

	PRESENT	IMPERFECT	FUTURE
1	prendo	prendevo	prenderó
2	prendi	prendevi	prenderai
3	prende	prendeva	prenderà
1	prendiamo	prendevamo	prenderemo
2	prendete	prendevate	prenderete
3	prendono	prendevano	prenderanno

	PASSATO REMOTO	PASSATO PROSSIMO	PLUPERFECT
1	presi	ho preso	avevo preso
2	prendesti	hai preso	avevi preso
3	prese	ha preso	aveva preso
1	prendemmo	abbiamo preso	avevamo preso
2	prendeste	avete preso	avevate preso
3	presero	hanno preso	avevano preso

PAST ANTERIOR	FUTURE PERFECT
ebbi preso *etc*	avrò preso *etc*

CONDITIONAL		IMPERATIVE

	PRESENT	PAST	
1	prenderei	avrei preso	
2	prenderesti	avresti preso	prendi
3	prenderebbe	avrebbe preso	prenda
1	prenderemmo	avremmo preso	prendiamo
2	prendereste	avreste preso	prendete
3	prenderebbero	avrebbero preso	prendano

SUBJUNCTIVE

	PRESENT	IMPERFECT	PLUPERFECT
1	prenda	prendessi	avessi preso
2	prenda	prendessi	avessi preso
3	prenda	prendesse	avesse preso
1	prendiamo	prendessimo	avessimo preso
2	prendiate	prendeste	aveste preso
3	prendano	prendessero	avessero preso

PASSATO PROSSIMO	abbia preso *etc*

INFINITIVE	GERUND	PAST PARTICIPLE
PRESENT	prendendo	preso
prendere		
PAST		
aver(e) preso		

PRODURRE
to produce

PRESENT	IMPERFECT	FUTURE
1 produco	producevo	produrrò
2 produci	producevi	produrrai
3 produce	produceva	produrrà
1 produciamo	producevamo	produrremo
2 producete	producevate	produrrete
3 producono	producevano	produrranno

PASSATO REMOTO	PASSATO PROSSIMO	PLUPERFECT
1 produssi	ho prodotto	avevo prodotto
2 producesti	hai prodotto	avevi prodotto
3 produsse	ha prodotto	aveva prodotto
1 producemmo	abbiamo prodotto	avevamo prodotto
2 produceste	avete prodotto	avevate prodotto
3 produssero	hanno prodotto	avevano prodotto

PAST ANTERIOR		FUTURE PERFECT
ebbi prodotto *etc*		avrò prodotto *etc*

CONDITIONAL		*IMPERATIVE*
PRESENT	PAST	
1 produrrei	avrei prodotto	
2 produrresti	avresti prodotto	produci
3 produrrebbe	avrebbe prodotto	produca
1 produrremmo	avremmo prodotto	produciamo
2 produrreste	avreste prodotto	producete
3 produrrebbero	avrebbero prodotto	producano

SUBJUNCTIVE

PRESENT	IMPERFECT	PLUPERFECT
1 produca	producessi	avessi prodotto
2 produca	producessi	avessi prodotto
3 produca	producesse	avesse prodotto
1 produciamo	producessimo	avessimo prodotto
2 produciate	produceste	aveste prodotto
3 producano	producessero	avessero prodotto

PASSATO PROSSIMO	abbia prodotto *etc*

INFINITIVE	*GERUND*	*PAST PARTICIPLE*
PRESENT	producendo	prodotto
produrre		
PAST		
aver(e) prodotto		

REDIGERE
to draw up, edit

	PRESENT	IMPERFECT	FUTURE
1	redigo	redigevo	redigerò
2	redigi	redigevi	redigerai
3	redige	redigeva	redigerà
1	redigiamo	redigevamo	redigeremo
2	redigete	redigevate	redigerete
3	redigono	redigevano	redigeranno

	PASSATO REMOTO	PASSATO PROSSIMO	PLUPERFECT
1	redassi	ho redatto	avevo redatto
2	redigesti	hai redatto	avevi redatto
3	redasse	ha redatto	aveva redatto
1	redigemmo	abbiamo redatto	avevamo redatto
2	redigeste	avete redatto	avevate redatto
3	redassero	hanno redatto	avevano redatto

PAST ANTERIOR	FUTURE PERFECT
ebbi redatto *etc*	avrò redatto *etc*

CONDITIONAL		*IMPERATIVE*

	PRESENT	PAST	
1	redigerei	avrei redatto	
2	redigeresti	avresti redatto	redigi
3	redigerebbe	avrebbe redatto	rediga
1	redigeremmo	avremmo redatto	redigiamo
2	redigereste	avreste redatto	redigete
3	redigerebbero	avrebbero redatto	redigano

SUBJUNCTIVE

	PRESENT	IMPERFECT	PLUPERFECT
1	rediga	redigessi	avessi redatto
2	rediga	redigessi	avessi redatto
3	rediga	redigesse	avesse redatto
1	redigiamo	redigessimo	avessimo redatto
2	redigiate	redigeste	aveste redatto
3	redigano	redigessero	avessero redatto

PASSATO PROSSIMO	abbia redatto *etc*

INFINITIVE	*GERUND*	*PAST PARTICIPLE*
PRESENT	redigendo	redatto
redigere		
PAST		
aver(e) redatto		

RENDERE
to give back, return

PRESENT	IMPERFECT	FUTURE
1 rendo	rendevo	renderò
2 rendi	rendevi	renderai
3 rende	rendeva	renderà
1 rendiamo	rendevamo	renderemo
2 rendete	rendevate	renderete
3 rendono	rendevano	renderanno

PASSATO REMOTO	PASSATO PROSSIMO	PLUPERFECT
1 resi	ho reso	avevo reso
2 rendesti	hai reso	avevi reso
3 rese	ha reso	aveva reso
1 rendemmo	abbiamo reso	avevamo reso
2 rendeste	avete reso	avevate reso
3 resero	hanno reso	avevano reso

PAST ANTERIOR	FUTURE PERFECT
ebbi reso *etc*	avrò reso *etc*

CONDITIONAL		*IMPERATIVE*

PRESENT	PAST	
1 renderei	avrei reso	
2 renderesti	avresti reso	rendi
3 renderebbe	avrebbe reso	renda
1 renderemmo	avremmo reso	rendiamo
2 rendereste	avreste reso	rendete
3 renderebbero	avrebbero reso	rendano

SUBJUNCTIVE		

PRESENT	IMPERFECT	PLUPERFECT
1 renda	rendessi	avessi reso
2 renda	rendessi	avessi reso
3 renda	rendesse	avesse reso
1 rendiamo	rendessimo	avessimo reso
2 rendiate	rendeste	aveste reso
3 rendano	rendessero	avessero reso

PASSATO PROSSIMO	abbia reso *etc*

INFINITIVE	*GERUND*	*PAST PARTICIPLE*
PRESENT	rendendo	reso
rendere		
PAST		
aver(e) reso		

RESISTERE
to resist

PRESENT	IMPERFECT	FUTURE
1 resisto	resistevo	resisterò
2 resisti	resistevi	resisterai
3 resiste	resisteva	resisterà
1 resistiamo	resistevamo	resisteremo
2 resistete	resistevate	resisterete
3 resistono	resistevano	resisteranno

PASSATO REMOTO	PASSATO PROSSIMO	PLUPERFECT
1 resistei/resistetti	ho resistito	avevo resistito
2 resistesti	hai resistito	avevi resistito
3 resisté/resistette	ha resistito	aveva resistito
1 resistemmo	abbiamo resistito	avevamo resistito
2 resisteste	avete resistito	avevate resistito
3 resisterono/resistettero	hanno resistito	avevano resistito

PAST ANTERIOR	FUTURE PERFECT
ebbi resistito *etc*	avrò resistito *etc*

CONDITIONAL		*IMPERATIVE*

PRESENT	PAST	
1 resisterei	avrei resistito	
2 resisteresti	avresti resistito	resisti
3 resisterebbe	avrebbe resistito	resista
1 resisteremmo	avremmo resistito	resistiamo
2 resistereste	avreste resistito	resistete
3 resisterebbero	avrebbero resistito	resistano

SUBJUNCTIVE

PRESENT	IMPERFECT	PLUPERFECT
1 resista	resistessi	avessi resistito
2 resista	resistessi	avessi resistito
3 resista	resistesse	avesse resistito
1 resistiamo	resistessimo	avessimo resistito
2 resistiate	resisteste	aveste resistito
3 resistano	resistessero	avessero resistito

PASSATO PROSSIMO	abbia resistito *etc*

INFINITIVE	*GERUND*	*PAST PARTICIPLE*
PRESENT	resistendo	resistito
resistere		
PAST		
aver(e) resistito		

158

RESTARE
to stay

PRESENT	IMPERFECT	FUTURE
1 resto	restavo	resterò
2 resti	restavi	resterai
3 resta	restava	resterà
1 restiamo	restavamo	resteremo
2 restate	restavate	resterete
3 restano	restavano	resteranno

PASSATO REMOTO	PASSATO PROSSIMO	PLUPERFECT
1 restai	sono restato/a	ero restato/a
2 restasti	sei restato/a	eri restato/a
3 restò	è restato/a	era restato/a
1 restammo	siamo restati/e	eravamo restati/e
2 restaste	siete restati/e	eravate restati/e
3 restarono	sono restati/e	erano restati/e

PAST ANTERIOR	FUTURE PERFECT
fui restato/a etc	sarò restato/a etc

CONDITIONAL

		IMPERATIVE

PRESENT	PAST	
1 resterei	sarei restato/a	
2 resteresti	saresti restato/a	resta
3 resterebbe	sarebbe restato/a	resti
1 resteremmo	saremmo restati/e	restiamo
2 restereste	sareste restati/e	restate
3 resterebbero	sarebbero restati/e	restino

SUBJUNCTIVE

PRESENT	IMPERFECT	PLUPERFECT
1 resti	restassi	fossi restato/a
2 resti	restassi	fossi restato/a
3 resti	restasse	fosse restato/a
1 restiamo	restassimo	fossimo restati/e
2 restiate	restaste	foste restati/e
3 restino	restassero	fossero restati/e

PASSATO PROSSIMO	sia restato/a etc

INFINITIVE	GERUND	PAST PARTICIPLE
PRESENT	restando	restato/a/i/e
restare		
PAST		
esser(e) restato/a/i/e		

RICEVERE
to receive

PRESENT	**IMPERFECT**	**FUTURE**
1 ricevo	ricevevo	riceverò
2 ricevi	ricevevi	riceverai
3 riceve	riceveva	riceverà
1 riceviamo	ricevevamo	riceveremo
2 ricevete	ricevevate	riceverete
3 ricevono	ricevevano	riceveranno

PASSATO REMOTO	**PASSATO PROSSIMO**	**PLUPERFECT**
1 ricevei/ricevetti	ho ricevuto	avevo ricevuto
2 ricevesti	hai ricevuto	avevi ricevuto
3 ricevé/ricevette	ha ricevuto	aveva ricevuto
1 ricevemmo	abbiamo ricevuto	avevamo ricevuto
2 riceveste	avete ricevuto	avevate ricevuto
3 riceverono/ricevettero	hanno ricevuto	avevano ricevuto

PAST ANTERIOR		**FUTURE PERFECT**
ebbi ricevuto *etc*		avrò ricevuto *etc*

CONDITIONAL		*IMPERATIVE*

PRESENT	**PAST**	
1 riceverei	avrei ricevuto	
2 riceveresti	avresti ricevuto	ricevi
3 riceverebbe	avrebbe ricevuto	riceva
1 riceveremmo	avremmo ricevuto	riceviamo
2 ricevereste	avreste ricevuto	ricevete
3 riceverebbero	avrebbero ricevuto	ricevano

SUBJUNCTIVE		

PRESENT	**IMPERFECT**	**PLUPERFECT**
1 riceva	ricevessi	avessi ricevuto
2 riceva	ricevessi	avessi ricevuto
3 riceva	ricevesse	avesse ricevuto
1 riceviamo	ricevessimo	avessimo ricevuto
2 riceviate	riceveste	aveste ricevuto
3 ricevano	ricevessero	avessero ricevuto

PASSATO PROSSIMO	abbia ricevuto *etc*	

INFINITIVE	*GERUND*	*PAST PARTICIPLE*
PRESENT	ricevendo	ricevuto
ricevere		
PAST		
aver(e) ricevuto		

RIDERE
to laugh

PRESENT	IMPERFECT	FUTURE
1 rido	ridevo	riderò
2 ridi	ridevi	riderai
3 ride	rideva	riderà
1 ridiamo	ridevamo	rideremo
2 ridete	ridevate	riderete
3 ridono	ridevano	rideranno

PASSATO REMOTO	PASSATO PROSSIMO	PLUPERFECT
1 risi	ho riso	avevo riso
2 ridesti	hai riso	avevi riso
3 rise	ha riso	aveva riso
1 ridemmo	abbiamo riso	avevamo riso
2 rideste	avete riso	avevate riso
3 risero	hanno riso	avevano riso

PAST ANTERIOR	FUTURE PERFECT
ebbi riso *etc*	avrò riso *etc*

CONDITIONAL		*IMPERATIVE*
PRESENT	**PAST**	
1 riderei	avrei riso	
2 rideresti	avresti riso	ridi
3 riderebbe	avrebbe riso	rida
1 rideremmo	avremmo riso	ridiamo
2 ridereste	avreste riso	ridete
3 riderebbero	avrebbero riso	ridano

SUBJUNCTIVE		
PRESENT	**IMPERFECT**	**PLUPERFECT**
1 rida	ridessi	avessi riso
2 rida	ridessi	avessi riso
3 rida	ridesse	avesse riso
1 ridiamo	ridessimo	avessimo riso
2 ridiate	rideste	aveste riso
3 ridano	ridessero	avessero riso

PASSATO PROSSIMO	abbia riso *etc*

INFINITIVE	*GERUND*	*PAST PARTICIPLE*
PRESENT	ridendo	riso
ridere		
PAST		
aver(e) riso		

RIEMPIRE
to fill

	PRESENT	IMPERFECT	FUTURE
1	riempio	riempivo	riempirò
2	riempi	riempivi	riempirai
3	riempie	riempiva	riempirà
1	riempiamo	riempivamo	riempiremo
2	riempite	riempivate	riempirete
3	riempiono	riempivano	riempiranno

	PASSATO REMOTO	PASSATO PROSSIMO	PLUPERFECT
1	riempii	ho riempito	avevo riempito
2	riempisti	hai riempito	avevi riempito
3	riempi	ha riempito	aveva riempito
1	riempimmo	abbiamo riempito	avevamo riempito
2	riempiste	avete riempito	avevate riempito
3	riempirono	hanno riempito	avevano riempito

PAST ANTERIOR	FUTURE PERFECT
ebbi riempito *etc*	avrò riempito *etc*

CONDITIONAL

IMPERATIVE

	PRESENT	PAST	
1	riempirei	avrei riempito	
2	riempiresti	avresti riempito	riempi
3	riempirebbe	avrebbe riempito	riempia
1	riempiremmo	avremmo riempito	riempiamo
2	riempireste	avreste riempito	riempite
3	riempirebbero	avrebbero riempito	riempiano

SUBJUNCTIVE

	PRESENT	IMPERFECT	PLUPERFECT
1	riempia	riempissi	avessi riempito
2	riempia	riempissi	avessi riempito
3	riempia	riempisse	avesse riempito
1	riempiamo	riempissimo	avessimo riempito
2	riempiate	riempiste	aveste riempito
3	riempiano	riempissero	avessero riempito

PASSATO PROSSIMO	abbia riempito *etc*

INFINITIVE	*GERUND*	*PAST PARTICIPLE*
PRESENT	riempiendo	riempito
riempire		
PAST		
aver(e) riempito		

162

RIFLETTERE
to reflect, reflect on

PRESENT	IMPERFECT	FUTURE
1 rifletto	riflettevo	rifletterò
2 rifletti	riflettevi	rifletterai
3 riflette	rifletteva	rifletterà
1 riflettiamo	riflettevamo	rifletteremo
2 riflettete	riflettevate	rifletterete
3 riflettono	riflettevano	rifletteranno

PASSATO REMOTO	PASSATO PROSSIMO	PLUPERFECT
1 riflessi/riflettei	ho riflesso/riflettuto	avevo riflesso/riflettuto
2 riflettesti	hai riflesso/riflettuto	avevi riflesso/riflettuto
3 riflesse/rifletté	ha riflesso/riflettuto	aveva riflesso/riflettuto
1 riflettemmo	abbiamo riflesso/riflettuto	avevamo riflesso/riflettuto
2 rifletteste	avete riflesso/riflettuto	avevate riflesso/riflettuto
3 riflessero/rifletterono	hanno riflesso/riflettuto	avevano riflesso/riflettuto

PAST ANTERIOR		FUTURE PERFECT
ebbi riflesso/riflettuto *etc*		avrò riflesso/riflettuto *etc*

CONDITIONAL		*IMPERATIVE*

PRESENT	PAST	
1 rifletterei	avrei riflesso/riflettuto	
2 rifletteresti	avresti riflesso/riflettuto	rifletti
3 rifletterebbe	avrebbe riflesso/riflettuto	rifletta
1 rifletteremmo	avremmo riflesso/riflettuto	riflettiamo
2 riflettereste	avreste riflesso/riflettuto	riflettete
3 rifletterebbero	avrebbero riflesso/riflettuto	riflettano

SUBJUNCTIVE

PRESENT	IMPERFECT	PLUPERFECT
1 rifletta	riflettessi	avessi riflesso/riflettuto
2 rifletta	riflettessi	avessi riflesso/riflettuto
3 rifletta	riflettesse	avesse riflesso/riflettuto
1 riflettiamo	riflettessimo	avessimo riflesso/riflettuto
2 riflettiate	rifletteste	aveste riflesso/riflettuto
3 riflettano	riflettessero	avessero riflesso/riflettuto

PASSATO PROSSIMO	abbia riflesso/riflettuto *etc*

INFINITIVE	*GERUND*	*PAST PARTICIPLE*
PRESENT	riflettendo	riflesso/riflettuto
riflettere		
PAST	NOTE: 'riflettere' uses the past participle 'riflesso' when the	
aver(e)	verb = 'to reflect' (as of light), and 'riflettuto' when the verb	
	= 'to reflect' (as in thinking).	

RIMANERE
to remain

	PRESENT	IMPERFECT	FUTURE
1	rimango	rimanevo	rimarrò
2	rimani	rimanevi	rimarrai
3	rimane	rimaneva	rimarrà
1	rimaniamo	rimanevamo	rimarremo
2	rimanete	rimanevate	rimarrete
3	rimangono	rimanevano	rimarranno

	PASSATO REMOTO	PASSATO PROSSIMO	PLUPERFECT
1	rimasi	sono rimasto/a	ero rimasto/a
2	rimanesti	sei rimasto/a	eri rimasto/a
3	rimase	è rimasto/a	era rimasto/a
1	rimanemmo	siamo rimasti/e	eravamo rimasti/e
2	rimaneste	siete rimasti/e	eravate rimasti/e
3	rimasero	sono rimasti/e	erano rimasti/e

PAST ANTERIOR	FUTURE PERFECT
fui rimasto/a *etc*	sarò rimasto/a *etc*

CONDITIONAL		*IMPERATIVE*

	PRESENT	PAST	
1	rimarrei	sarei rimasto/a	
2	rimarresti	saresti rimasto/a	rimani
3	rimarrebbe	sarebbe rimasto/a	rimanga
1	rimarremmo	saremmo rimasti/e	rimaniamo
2	rimarreste	sareste rimasti/e	rimanete
3	rimarrebbero	sarebbero rimasti/e	rimangano

SUBJUNCTIVE		

	PRESENT	IMPERFECT	PLUPERFECT
1	rimanga	rimanessi	fossi rimasto/a
2	rimanga	rimanessi	fossi rimasto/a
3	rimanga	rimanesse	fosse rimasto/a
1	rimaniamo	rimanessimo	fossimo rimasti/e
2	rimaniate	rimaneste	foste rimasti/e
3	rimangano	rimanessero	fossero rimasti/e

PASSATO PROSSIMO	sia rimasto/a *etc*

INFINITIVE	*GERUND*	*PAST PARTICIPLE*
PRESENT	rimanendo	rimasto/a/i/e
rimanere		
PAST		
esser(e) rimasto/a/i/e		

164 RINGRAZIARE
to thank

PRESENT	IMPERFECT	FUTURE
1 ringrazio	ringraziavo	ringrazierò
2 ringrazi	ringraziavi	ringrazierai
3 ringrazia	ringraziava	ringrazierà
1 ringraziamo	ringraziavamo	ringrazieremo
2 ringraziate	ringraziavate	ringrazierete
3 ringraziano	ringraziavano	ringrazieranno

PASSATO REMOTO	PASSATO PROSSIMO	PLUPERFECT
1 ringraziai	ho ringraziato	avevo ringraziato
2 ringraziasti	hai ringraziato	avevi ringraziato
3 ringraziò	ha ringraziato	aveva ringraziato
1 ringraziammo	abbiamo ringraziato	avevamo ringraziato
2 ringraziaste	avete ringraziato	avevate ringraziato
3 ringraziarono	hanno ringraziato	avevano ringraziato

PAST ANTERIOR	FUTURE PERFECT
ebbi ringraziato *etc*	avrò ringraziato *etc*

CONDITIONAL		*IMPERATIVE*

PRESENT	PAST	
1 ringrazierei	avrei ringraziato	
2 ringrazieresti	avresti ringraziato	ringrazia
3 ringrazierebbe	avrebbe ringraziato	ringrazi
1 ringrazieremmo	avremmo ringraziato	ringraziamo
2 ringraziereste	avreste ringraziato	ringraziate
3 ringrazierebbero	avrebbero ringraziato	ringrazino

SUBJUNCTIVE

PRESENT	IMPERFECT	PLUPERFECT
1 ringrazi	ringraziassi	avessi ringraziato
2 ringrazi	ringraziassi	avessi ringraziato
3 ringrazi	ringraziasse	avesse ringraziato
1 ringraziamo	ringraziassimo	avessimo ringraziato
2 ringraziate	ringraziaste	aveste ringraziato
3 ringrazino	ringraziassero	avessero ringraziato

PASSATO PROSSIMO	abbia ringraziato *etc*

INFINITIVE	*GERUND*	*PAST PARTICIPLE*
PRESENT	ringraziando	ringraziato
ringraziare		
PAST		
aver(e) ringraziato		

RISOLVERE
to solve

PRESENT	**IMPERFECT**	**FUTURE**
1 risolvo	risolvevo	risolverò
2 risolvi	risolvevi	risolverai
3 risolve	risolveva	risolverà
1 risolviamo	risolvevamo	risolveremo
2 risolvete	risolvevate	risolverete
3 risolvono	risolvevano	risolveranno

PASSATO REMOTO	**PASSATO PROSSIMO**	**PLUPERFECT**
1 risolsi/risolvei[1]	ho risolto	avevo risolto
2 risolvesti	hai risolto	avevi risolto
3 risolse/risolvé[2]	ha risolto	aveva risolto
1 risolvemmo	abbiamo risolto	avevamo risolto
2 risolveste	avete risolto	avevate risolto
3 risolsero[2]	hanno risolto	avevano risolto

PAST ANTERIOR		**FUTURE PERFECT**
ebbi risolto *etc*		avrò risolto *etc*

CONDITIONAL		*IMPERATIVE*

PRESENT	**PAST**	
1 risolverei	avrei risolto	
2 risolveresti	avresti risolto	risolvi
3 risolverebbe	avrebbe risolto	risolva
1 risolveremmo	avremmo risolto	risolviamo
2 risolvereste	avreste risolto	risolvete
3 risolverebbero	avrebbero risolto	risolvano

SUBJUNCTIVE

PRESENT	**IMPERFECT**	**PLUPERFECT**
1 risolva	risolvessi	avessi risolto
2 risolva	risolvessi	avessi risolto
3 risolva	risolvesse	avesse risolto
1 risolviamo	risolvessimo	avessimo risolto
2 risolviate	risolveste	aveste risolto
3 risolvano	risolvessero	avessero risolto

PASSATO PROSSIMO   abbia risolto *etc*

INFINITIVE	*GERUND*	*PAST PARTICIPLE*
PRESENT	risolvendo	risolto
risolvere	**NOTE:** [1] also 'risolvetti'	
PAST	[2] also 'risolvette'	
aver(e) risolto	[3] also 'risolverono' or 'risolvettero'	

RISPONDERE
to reply, answer

PRESENT	IMPERFECT	FUTURE
1 rispondo	rispondevo	risponderò
2 rispondi	rispondevi	risponderai
3 risponde	rispondeva	risponderà
1 rispondiamo	rispondevamo	risponderemo
2 rispondete	rispondevate	risponderete
3 rispondono	rispondevano	risponderanno

PASSATO REMOTO	PASSATO PROSSIMO	PLUPERFECT
1 risposi	ho risposto	avevo risposto
2 rispondesti	hai risposto	avevi risposto
3 rispose	ha risposto	aveva risposto
1 rispondemmo	abbiamo risposto	avevamo risposto
2 rispondeste	avete risposto	avevate risposto
3 risposero	hanno risposto	avevano risposto

PAST ANTERIOR		FUTURE PERFECT
ebbi risposto *etc*		avrò risposto *etc*

CONDITIONAL		*IMPERATIVE*
PRESENT	**PAST**	
1 risponderei	avrei risposto	
2 risponderesti	avresti risposto	rispondi
3 risponderebbe	avrebbe risposto	risponda
1 risponderemmo	avremmo risposto	rispondiamo
2 rispondereste	avreste risposto	rispondete
3 risponderebbero	avrebbero risposto	rispondano

SUBJUNCTIVE		
PRESENT	**IMPERFECT**	**PLUPERFECT**
1 risponda	rispondessi	avessi risposto
2 risponda	rispondessi	avessi risposto
3 risponda	rispondesse	avesse risposto
1 rispondiamo	rispondessimo	avessimo risposto
2 rispondiate	rispondeste	aveste risposto
3 rispondano	rispondessero	avessero risposto

PASSATO PROSSIMO	abbia risposto *etc*	

INFINITIVE	*GERUND*	*PAST PARTICIPLE*
PRESENT	rispondendo	risposto
rispondere		
PAST		
aver(e) rispost		

PRESENT	IMPERFECT	FUTURE
1 rodo	rodevo	roderò
2 rodi	rodevi	roderai
3 rode	rodeva	roderà
1 rodiamo	rodevamo	roderemo
2 rodete	rodevate	roderete
3 rodono	rodevano	roderanno

PASSATO REMOTO	PASSATO PROSSIMO	PLUPERFECT
1 rosi	ho roso	avevo roso
2 rodesti	hai roso	avevi roso
3 rose	ha roso	aveva roso
1 rodemmo	abbiamo roso	avevamo roso
2 rodeste	avete roso	avevate roso
3 rosero	hanno roso	avevano roso

PAST ANTERIOR		FUTURE PERFECT
ebbi roso *etc*		avrò roso *etc*

CONDITIONAL		*IMPERATIVE*

PRESENT	PAST	
1 roderei	avrei roso	
2 roderesti	avresti roso	rodi
3 roderebbe	avrebbe roso	roda
1 roderemmo	avremmo roso	rodiamo
2 rodereste	avreste roso	rodete
3 roderebbero	avrebbero roso	rodano

SUBJUNCTIVE		

PRESENT	IMPERFECT	PLUPERFECT
1 roda	rodessi	avessi roso
2 roda	rodessi	avessi roso
3 roda	rodesse	avesse roso
1 rodiamo	rodessimo	avessimo roso
2 rodiate	rodeste	aveste roso
3 rodano	rodessero	avessero roso

PASSATO PROSSIMO	abbia roso *etc*	

INFINITIVE	*GERUND*	*PAST PARTICIPLE*
PRESENT	rodendo	roso
rodere		
PAST		
aver(e) roso		

ROMPERE
to break

PRESENT	IMPERFECT	FUTURE
1 rompo	rompevo	romperò
2 rompi	rompevi	romperai
3 rompe	rompeva	romperà
1 rompiamo	rompevamo	romperemo
2 rompete	rompevate	romperete
3 rompono	rompevano	romperanno

PASSATO REMOTO	PASSATO PROSSIMO	PLUPERFECT
1 ruppi	ho rotto	avevo rotto
2 rompesti	hai rotto	avevi rotto
3 ruppe	ha rotto	aveva rotto
1 rompemmo	abbiamo rotto	avevamo rotto
2 rompeste	avete rotto	avevate rotto
3 ruppero	hanno rotto	avevano rotto

PAST ANTERIOR	FUTURE PERFECT
ebbi rotto *etc*	avrò rotto *etc*

CONDITIONAL		*IMPERATIVE*
PRESENT	**PAST**	
1 romperei	avrei rotto	
2 romperesti	avresti rotto	rompi
3 romperebbe	avrebbe rotto	rompa
1 romperemmo	avremmo rotto	rompiamo
2 rompereste	avreste rotto	rompete
3 romperebbero	avrebbero rotto	rompano

SUBJUNCTIVE

PRESENT	IMPERFECT	PLUPERFECT
1 rompa	rompessi	avessi rotto
2 rompa	rompessi	avessi rotto
3 rompa	rompesse	avesse rotto
1 rompiamo	rompessimo	avessimo rotto
2 rompiate	rompeste	aveste rotto
3 rompano	rompessero	avessero rotto

PASSATO PROSSIMO	abbia rotto *etc*

INFINITIVE	*GERUND*	*PAST PARTICIPLE*
PRESENT	rompendo	rotto
rompere		
PAST		
aver(e) rotto		

SALIRE
to go up

PRESENT	IMPERFECT	FUTURE
1 salgo	salivo	salirò
2 sali	salivi	salirai
3 sale	saliva	salirà
1 saliamo	salivamo	saliremo
2 salite	salivate	salirete
3 salgono	salivano	saliranno

PASSATO REMOTO	PASSATO PROSSIMO	PLUPERFECT
1 salii	sono salito/a	ero salito/a
2 salisti	sei salito/a	eri salito/a
3 salì	è salito/a	era salito/a
1 salimmo	siamo saliti/e	eravamo saliti/e
2 saliste	siete saliti/e	eravate saliti/e
3 salirono	sono saliti/e	erano saliti/e

PAST ANTERIOR		FUTURE PERFECT
fui salito/a *etc*		sarò salito/a *etc*

CONDITIONAL		*IMPERATIVE*

PRESENT	PAST	
1 salirei	sarei salito/a	
2 saliresti	saresti salito/a	sali
3 salirebbe	sarebbe salito/a	salga
1 saliremmo	saremmo saliti/e	saliamo
2 salireste	sareste saliti/e	salite
3 salirebbero	sarebbero saliti/e	salgano

SUBJUNCTIVE

PRESENT	IMPERFECT	PLUPERFECT
1 salga	salissi	fossi salito/a
2 salga	salissi	fossi salito/a
3 salga	salisse	fosse salito/a
1 saliamo	salissimo	fossimo saliti/e
2 saliate	saliste	foste saliti/e
3 salgano	salissero	fossero saliti/e

PASSATO PROSSIMO	sia salito/a *etc*	

INFINITIVE	*GERUND*	*PAST PARTICIPLE*
PRESENT	salendo	salito/a/i/e
salire		
PAST		
esser(e) salito/a/i/e	**NOTE:** 'salire' uses auxiliary 'avere' with a direct object, eg: I climbed the stairs = ho salito le scale	

SAPERE
to know, know how to

PRESENT	IMPERFECT	FUTURE
1 so	sapevo	saprò
2 sai	sapevi	saprai
3 sa	sapeva	saprà
1 sappiamo	sapevamo	sapremo
2 sapete	sapevate	saprete
3 sanno	sapevano	sapranno

PASSATO REMOTO	PASSATO PROSSIMO	PLUPERFECT
1 seppi	ho saputo	avevo saputo
2 sapesti	hai saputo	avevi saputo
3 seppe	ha saputo	aveva saputo
1 sapemmo	abbiamo saputo	avevamo saputo
2 sapeste	avete saputo	avevate saputo
3 seppero	hanno saputo	avevano saputo

PAST ANTERIOR		FUTURE PERFECT
ebbi saputo *etc*		avrò saputo *etc*

CONDITIONAL		IMPERATIVE

PRESENT	PAST	
1 saprei	avrei saputo	
2 sapresti	avresti saputo	sappi
3 saprebbe	avrebbe saputo	sappia
1 sapremmo	avremmo saputo	sappiamo
2 sapreste	avreste saputo	sappiate
3 saprebbero	avrebbero saputo	sappiano

SUBJUNCTIVE		

PRESENT	IMPERFECT	PLUPERFECT
1 sappia	sapessi	avessi saputo
2 sappia	sapessi	avessi saputo
3 sappia	sapesse	avesse saputo
1 sappiamo	sapessimo	avessimo saputo
2 sappiate	sapeste	aveste saputo
3 sappiano	sapessero	avessero saputo

PASSATO PROSSIMO	abbia saputo *etc*

INFINITIVE	GERUND	PAST PARTICIPLE
PRESENT	sapendo	saputo
sapere		
PAST		
aver(e) saputo		

SCEGLIERE
to choose

	PRESENT	IMPERFECT	FUTURE
1	scelgo	sceglievo	sceglierò
2	scegli	sceglievi	sceglierai
3	sceglie	sceglieva	sceglierà
1	scegliamo	sceglievamo	sceglieremo
2	scegliete	sceglievate	sceglierete
3	scelgono	sceglievano	sceglieranno

	PASSATO REMOTO	PASSATO PROSSIMO	PLUPERFECT
1	scelsi	ho scelto	avevo scelto
2	scegliesti	hai scelto	avevi scelto
3	scelse	ha scelto	aveva scelto
1	scegliemmo	abbiamo scelto	avevamo scelto
2	sceglieste	avete scelto	avevate scelto
3	scelsero	hanno scelto	avevano scelto

PAST ANTERIOR	FUTURE PERFECT
ebbi scelto *etc*	avrò scelto *etc*

CONDITIONAL		*IMPERATIVE*

	PRESENT	PAST	
1	sceglierei	avrei scelto	
2	sceglieresti	avresti scelto	scegli
3	sceglierebbe	avrebbe scelto	scelga
1	sceglieremmo	avremmo scelto	scegliamo
2	scegliereste	avreste scelto	scegliete
3	sceglierebbero	avrebbero scelto	scelgano

SUBJUNCTIVE

	PRESENT	IMPERFECT	PLUPERFECT
1	scelga	scegliessi	avessi scelto
2	scelga	scegliessi	avessi scelto
3	scelga	scegliesse	avesse scelto
1	scegliamo	scegliessimo	avessimo scelto
2	scegliate	sceglieste	aveste scelto
3	scelgano	scegliessero	avessero scelto

PASSATO PROSSIMO	abbia scelto *etc*

INFINITIVE	*GERUND*	*PAST PARTICIPLE*
PRESENT	scegliendo	scelto
scegliere		
PAST		
aver(e) scelto		

SCENDERE
to go down, get off

PRESENT	IMPERFECT	FUTURE
1 scendo	scendevo	scenderò
2 scendi	scendevi	scenderai
3 scende	scendeva	scenderà
1 scendiamo	scendevamo	scenderemo
2 scendete	scendevate	scenderete
3 scendono	scendevano	scenderanno

PASSATO REMOTO	PASSATO PROSSIMO	PLUPERFECT
1 scesi	sono sceso/a	ero sceso/a
2 scendesti	sei sceso/a	eri sceso/a
3 scese	è sceso/a	era sceso/a
1 scendemmo	siamo scesi/e	eravamo scesi/e
2 scendeste	siete scesi/e	eravate scesi/e
3 scesero	sono scesi/e	erano scesi/e

PAST ANTERIOR	FUTURE PERFECT
fui sceso/a etc	sarò sceso/a etc

CONDITIONAL		IMPERATIVE

PRESENT	PAST	
1 scenderei	sarei sceso/a	
2 scenderesti	saresti sceso/a	scendi
3 scenderebbe	sarebbe sceso/a	scenda
1 scenderemmo	saremmo scesi/e	scendiamo
2 scendereste	sareste scesi/e	scendete
3 scenderebbero	sarebbero scesi/e	scendano

SUBJUNCTIVE

PRESENT	IMPERFECT	PLUPERFECT
1 scenda	scendessi	fossi sceso/a
2 scenda	scendessi	fossi sceso/a
3 scenda	scendesse	fosse sceso/a
1 scendiamo	scendessimo	fossimo scesi/e
2 scendiate	scendeste	foste scesi/e
3 scendano	scendessero	fossero scesi/e

PASSATO PROSSIMO	sia sceso/a etc

INFINITIVE	GERUND	PAST PARTICIPLE
PRESENT	scendendo	sceso/a/i/e
scendere	NOTE: in compound tenses when 'scendere' has a direct	
PAST	object it takes the auxiliary 'avere', eg: I came down the stairs	
esser(e) sceso/a/i/e	= ho sceso le scale	

PRESENT	IMPERFECT	FUTURE
1 scindo	scindevo	scinderò
2 scindi	scindevi	scinderai
3 scinde	scindeva	scinderà
1 scindiamo	scindevamo	scinderemo
2 scindete	scindevate	scinderete
3 scindono	scindevano	scinderanno

PASSATO REMOTO	PASSATO PROSSIMO	PLUPERFECT
1 scissi	ho scisso	avevo scisso
2 scindesti	hai scisso	avevi scisso
3 scisse	ha scisso	aveva scisso
1 scindemmo	abbiamo scisso	avevamo scisso
2 scindeste	avete scisso	avevate scisso
3 scissero	hanno scisso	avevano scisso

PAST ANTERIOR	FUTURE PERFECT
ebbi scisso *etc*	avrò scisso *etc*

CONDITIONAL   *IMPERATIVE*

PRESENT	PAST	
1 scinderei	avrei scisso	
2 scinderesti	avresti scisso	scindi
3 scinderebbe	avrebbe scisso	scinda
1 scinderemmo	avremmo scisso	scindiamo
2 scindereste	avreste scisso	scindete
3 scinderebbero	avrebbero scisso	scindano

SUBJUNCTIVE

PRESENT	IMPERFECT	PLUPERFECT
1 scinda	scindessi	avessi scisso
2 scinda	scindessi	avessi scisso
3 scinda	scindesse	avesse scisso
1 scindiamo	scindessimo	avessimo scisso
2 scindiate	scindeste	aveste scisso
3 scindano	scindessero	avessero scisso

PASSATO PROSSIMO	abbia scisso *etc*

INFINITIVE	*GERUND*	*PAST PARTICIPLE*
PRESENT	scindendo	scisso
scindere		
PAST		
aver(e) scisso		

SCRIVERE
to write

	PRESENT	IMPERFECT	FUTURE
1	scrivo	scrivevo	scriverò
2	scrivi	scrivevi	scriverai
3	scrive	scriveva	scriverà
1	scriviamo	scrivevamo	scriveremo
2	scrivete	scrivevate	scriverete
3	scrivono	scrivevano	scriveranno

	PASSATO REMOTO	PASSATO PROSSIMO	PLUPERFECT
1	scrissi	ho scritto	avevo scritto
2	scrivesti	hai scritto	avevi scritto
3	scrisse	ha scritto	aveva scritto
1	scrivemmo	abbiamo scritto	avevamo scritto
2	scriveste	avete scritto	avevate scritto
3	scrissero	hanno scritto	avevano scritto

PAST ANTERIOR	FUTURE PERFECT
ebbi scritto *etc*	avrò scritto *etc*

CONDITIONAL		*IMPERATIVE*

	PRESENT	PAST	
1	scriverei	avrei scritto	
2	scriveresti	avresti scritto	scrivi
3	scriverebbe	avrebbe scritto	scriva
1	scriveremmo	avremmo scritto	scriviamo
2	scrivereste	avreste scritto	scrivete
3	scriverebbero	avrebbero scritto	scrivano

SUBJUNCTIVE

	PRESENT	IMPERFECT	PLUPERFECT
1	scriva	scrivessi	avessi scritto
2	scriva	scrivessi	avessi scritto
3	scriva	scrivesse	avesse scritto
1	scriviamo	scrivessimo	avessimo scritto
2	scriviate	scriveste	aveste scritto
3	scrivano	scrivessero	avessero scritto

PASSATO PROSSIMO	abbia scritto *etc*

INFINITIVE	*GERUND*	*PAST PARTICIPLE*
PRESENT	scrivendo	scritto
scrivere		
PAST		
aver(e) scritto		

SCUOTERE
to shake

	PRESENT	IMPERFECT	FUTURE
1	scuoto	scuotevo	scuoterò
2	scuoti	scuotevi	scuoterai
3	scuote	scuoteva	scuoterà
1	scuotiamo	scuotevamo	scuoteremo
2	scuotete	scuotevate	scuoterete
3	scuotono	scuotevano	scuoteranno

	PASSATO REMOTO	PASSATO PROSSIMO	PLUPERFECT
1	scossi	ho scosso	avevo scosso
2	scuotesti	hai scosso	avevi scosso
3	scosse	ha scosso	aveva scosso
1	scuotemmo	abbiamo scosso	avevamo scosso
2	scuoteste	avete scosso	avevate scosso
3	scossero	hanno scosso	avevano scosso

PAST ANTERIOR	FUTURE PERFECT
ebbi scosso *etc*	avrò scosso *etc*

CONDITIONAL		*IMPERATIVE*

	PRESENT	PAST	
1	scuoterei	avrei scosso	
2	scuoteresti	avresti scosso	scuoti
3	scuoterebbe	avrebbe scosso	scuota
1	scuoteremmo	avremmo scosso	scuotiamo
2	scuotereste	avreste scosso	scuotete
3	scuoterebbero	avrebbero scosso	scuotano

SUBJUNCTIVE

	PRESENT	IMPERFECT	PLUPERFECT
1	scuota	scuotessi	avessi scosso
2	scuota	scuotessi	avessi scosso
3	scuota	scuotesse	avesse scosso
1	scuotiamo	scuotessimo	avessimo scosso
2	scuotiate	scuoteste	aveste scosso
3	scuotano	scuotessero	avessero scosso

PASSATO PROSSIMO	abbia scosso *etc*

INFINITIVE	*GERUND*	*PAST PARTICIPLE*
PRESENT	scuotendo	scosso
scuotere		
PAST		
aver(e) scosso		

SEDERE
to sit, be sitting

PRESENT	IMPERFECT	FUTURE
1 siedo/seggo	sedevo	sederò
2 siedi	sedevi	sederai
3 siede	sedeva	sederà
1 sediamo	sedevamo	sederemo
2 sedete	sedevate	sederete
3 siedono/seggono	sedevano	sederanno

PASSATO REMOTO	PASSATO PROSSIMO	PLUPERFECT
1 sedei/sedetti	sono seduto/a	ero seduto/a
2 sedesti	sei seduto/a	eri seduto/a
3 sedé/sedette	è seduto/a	era seduto/a
1 sedemmo	siamo seduti/e	eravamo seduti/e
2 sedeste	siete seduti/e	eravate seduti/e
3 sederono/sedettero	sono seduti/e	erano seduti/e

PAST ANTERIOR		FUTURE PERFECT
fui seduto/a *etc*		sarò seduto/a *etc*

CONDITIONAL		IMPERATIVE

PRESENT	PAST	
1 sederei	sarei seduto/a	
2 sederesti	saresti seduto/a	siedi
3 sederebbe	sarebbe seduto/a	sieda/segga
1 sederemmo	saremmo seduti/e	sediamo
2 sedereste	sareste seduti/e	sedete
3 sederebbero	sarebbero seduti/e	siedano/seggano

SUBJUNCTIVE		

PRESENT	IMPERFECT	PLUPERFECT
1 sieda/segga	sedessi	fossi seduto/a
2 sieda/segga	sedessi	fossi seduto/a
3 sieda/segga	sedesse	fosse seduto/a
1 sediamo	sedessimo	fossimo seduti/e
2 sediate	sedeste	foste seduti/e
3 siedano/seggano	sedessero	fossero seduti/e

PASSATO PROSSIMO		
sia seduto/a *etc*		

INFINITIVE	GERUND	PAST PARTICIPLE
PRESENT	sedendo	seduto/a/i/e
sedere		
PAST	NOTE: also commonly found in its reflexive	
esser(e) seduto/a/i/e	form 'sedersi'	

SEGUIRE
to follow

PRESENT	IMPERFECT	FUTURE
1 seguo	seguivo	seguirò
2 segui	seguivi	seguirai
3 segue	seguiva	seguirà
1 seguiamo	seguivamo	seguiremo
2 seguite	seguivate	seguirete
3 seguono	seguivano	seguiranno

PASSATO REMOTO	PASSATO PROSSIMO	PLUPERFECT
1 seguii	ho seguito	avevo seguito
2 seguisti	hai seguito	avevi seguito
3 segui	ha seguito	aveva seguito
1 seguimmo	abbiamo seguito	avevamo seguito
2 seguiste	avete seguito	avevate seguito
3 seguirono	hanno seguito	avevano seguito

PAST ANTERIOR	FUTURE PERFECT
ebbi seguito *etc*	avrò seguito *etc*

CONDITIONAL		*IMPERATIVE*

PRESENT	PAST	
1 seguirei	avrei seguito	
2 seguiresti	avresti seguito	segui
3 seguirebbe	avrebbe seguito	segua
1 seguiremmo	avremmo seguito	seguiamo
2 seguireste	avreste seguito	seguite
3 seguirebbero	avrebbero seguito	seguano

SUBJUNCTIVE

PRESENT	IMPERFECT	PLUPERFECT
1 segua	seguissi	avessi seguito
2 segua	seguissi	avessi seguito
3 segua	seguisse	avesse seguito
1 seguiamo	seguissimo	avessimo seguito
2 seguiate	seguiste	aveste seguito
3 seguano	seguissero	avessero seguito

PASSATO PROSSIMO	abbia seguito *etc*

INFINITIVE	*GERUND*	*PAST PARTICIPLE*
PRESENT	seguendo	seguito
seguire		
PAST		
aver(e) seguito		

SENTIRE
to feel, smell, hear

	PRESENT	IMPERFECT	FUTURE
1	sento	sentivo	sentirò
2	senti	sentivi	sentirai
3	sente	sentiva	sentirà
1	sentiamo	sentivamo	sentiremo
2	sentite	sentivate	sentirete
3	sentono	sentivano	sentiranno

	PASSATO REMOTO	PASSATO PROSSIMO	PLUPERFECT
1	sentii	ho sentito	avevo sentito
2	sentisti	hai sentito	avevi sentito
3	sentì	ha sentito	aveva sentito
1	sentimmo	abbiamo sentito	avevamo sentito
2	sentiste	avete sentito	avevate sentito
3	sentirono	hanno sentito	avevano sentito

PAST ANTERIOR	FUTURE PERFECT
ebbi sentito *etc*	avrò sentito *etc*

CONDITIONAL

IMPERATIVE

	PRESENT	PAST	
1	sentirei	avrei sentito	
2	sentiresti	avresti sentito	senti
3	sentirebbe	avrebbe sentito	senta
1	sentiremmo	avremmo sentito	sentiamo
2	sentireste	avreste sentito	sentite
3	sentirebbero	avrebbero sentito	sentano

SUBJUNCTIVE

	PRESENT	IMPERFECT	PLUPERFECT
1	senta	sentissi	avessi sentito
2	senta	sentissi	avessi sentito
3	senta	sentisse	avesse sentito
1	sentiamo	sentissimo	avessimo sentito
2	sentiate	sentiste	aveste sentito
3	sentano	sentissero	avessero sentito

PASSATO PROSSIMO	abbia sentito *etc*

INFINITIVE	GERUND	PAST PARTICIPLE
PRESENT	sentendo	sentito
sentire		
PAST		
aver(e) sentito		

SERVIRE
to serve

PRESENT	IMPERFECT	FUTURE
1 servo	servivo	servirò
2 servi	servivi	servirai
3 serve	serviva	servirà
1 serviamo	servivamo	serviremo
2 servite	servivate	servirete
3 servono	servivano	serviranno

PASSATO REMOTO	PASSATO PROSSIMO	PLUPERFECT
1 servii	ho servito	avevo servito
2 servisti	hai servito	avevi servito
3 servì	ha servito	aveva servito
1 servimmo	abbiamo servito	avevamo servito
2 serviste	avete servito	avevate servito
3 servirono	hanno servito	avevano servito

PAST ANTERIOR		FUTURE PERFECT
ebbi servito *etc*		avrò servito *etc*

CONDITIONAL		*IMPERATIVE*

PRESENT	PAST	
1 servirei	avrei servito	
2 serviresti	avresti servito	servi
3 servirebbe	avrebbe servito	serva
1 serviremmo	avremmo servito	serviamo
2 servireste	avreste servito	servite
3 servirebbero	avrebbero servito	servano

SUBJUNCTIVE

PRESENT	IMPERFECT	PLUPERFECT
1 serva	servissi	avessi servito
2 serva	servissi	avessi servito
3 serva	servisse	avesse servito
1 serviamo	servissimo	avessimo servito
2 serviate	serviste	aveste servito
3 servano	servissero	avessero servito

PASSATO PROSSIMO	abbia servito *etc*

INFINITIVE	*GERUND*	*PAST PARTICIPLE*
PRESENT	servendo	servito
servire		
PAST		
aver(e) servito		

180

SOFFRIRE
to suffer

PRESENT	IMPERFECT	FUTURE
1 soffro	soffrivo	soffrirò
2 soffri	soffrivi	soffrirai
3 soffre	soffriva	soffrirà
1 soffriamo	soffrivamo	soffriremo
2 soffrite	soffrivate	soffrirete
3 soffrono	soffrivano	soffriranno

PASSATO REMOTO	PASSATO PROSSIMO	PLUPERFECT
1 soffrii/soffersi	ho sofferto	avevo sofferto
2 soffristi	hai sofferto	avevi sofferto
3 soffri/sofferse	ha sofferto	aveva sofferto
1 soffrimmo	abbiamo sofferto	avevamo sofferto
2 soffriste	avete sofferto	avevate sofferto
3 soffrirono/soffersero	hanno sofferto	avevano sofferto

PAST ANTERIOR	FUTURE PERFECT
ebbi sofferto *etc*	avrò sofferto *etc*

CONDITIONAL		*IMPERATIVE*

PRESENT	PAST	
1 soffrirei	avrei sofferto	
2 soffriresti	avresti sofferto	soffri
3 soffrirebbe	avrebbe sofferto	soffra
1 soffriremmo	avremmo sofferto	soffriamo
2 soffrireste	avreste sofferto	soffrite
3 soffrirebbero	avrebbero sofferto	soffrano

SUBJUNCTIVE

PRESENT	IMPERFECT	PLUPERFECT
1 soffra	soffrissi	avessi sofferto
2 soffra	soffrissi	avessi sofferto
3 soffra	soffrisse	avesse sofferto
1 soffriamo	soffrissimo	avessimo sofferto
2 soffriate	soffriste	aveste sofferto
3 soffrano	soffrissero	avessero sofferto

PASSATO PROSSIMO	abbia sofferto *etc*

INFINITIVE	*GERUND*	*PAST PARTICIPLE*
PRESENT	soffrendo	sofferto
soffrire		
PAST		
aver(e) sofferto		

SPANDERE
to spread

	PRESENT	IMPERFECT	FUTURE
1	spando	spandevo	spanderò
2	spandi	spandevi	spanderai
3	spande	spandeva	spanderà
1	spandiamo	spandevamo	spanderemo
2	spandete	spandevate	spanderete
3	spandono	spandevano	spanderanno

	PASSATO REMOTO	PASSATO PROSSIMO	PLUPERFECT
1	spandei	ho spanto	avevo spanto
2	spandesti	hai spanto	avevi spanto
3	spandé	ha spanto	aveva spanto
1	spandemmo	abbiamo spanto	avevamo spanto
2	spandeste	avete spanto	avevate spanto
3	spanderono	hanno spanto	avevano spanto

PAST ANTERIOR	FUTURE PERFECT
ebbi spanto *etc*	avrò spanto *etc*

CONDITIONAL		*IMPERATIVE*

	PRESENT	PAST	
1	spanderei	avrei spanto	
2	spanderesti	avresti spanto	spandi
3	spanderebbe	avrebbe spanto	spanda
1	spanderemmo	avremmo spanto	spandiamo
2	spandereste	avreste spanto	spandete
3	spanderebbero	avrebbero spanto	spandano

SUBJUNCTIVE

	PRESENT	IMPERFECT	PLUPERFECT
1	spanda	spandessi	avessi spanto
2	spanda	spandessi	avessi spanto
3	spanda	spandesse	avesse spanto
1	spandiamo	spandessimo	avessimo spanto
2	spandiate	spandeste	aveste spanto
3	spandano	spandessero	avessero spanto

PASSATO PROSSIMO	abbia spanto *etc*

INFINITIVE	*GERUND*	*PAST PARTICIPLE*
PRESENT	spandendo	spanto
spandere		
PAST		
aver(e) spanto		

182

SPARGERE
to scatter

PRESENT	IMPERFECT	FUTURE
1 spargo	spargevo	spargerò
2 spargi	spargevi	spargerai
3 sparge	spargeva	spargerà
1 spargiamo	spargevamo	spargeremo
2 spargete	spargevate	spargerete
3 spargono	spargevano	spargeranno

PASSATO REMOTO	PASSATO PROSSIMO	PLUPERFECT
1 sparsi	ho sparso	avevo sparso
2 spargesti	hai sparso	avevi sparso
3 sparse	ha sparso	aveva sparso
1 spargemmo	abbiamo sparso	avevamo sparso
2 spargeste	avete sparso	avevate sparso
3 sparsero	hanno sparso	avevano sparso

PAST ANTERIOR		FUTURE PERFECT
ebbi sparso *etc*		avrò sparso *etc*

CONDITIONAL		*IMPERATIVE*

PRESENT	PAST	
1 spargerei	avrei sparso	
2 spargeresti	avresti sparso	spargi
3 spargerebbe	avrebbe sparso	sparga
1 spargeremmo	avremmo sparso	spargiamo
2 spargereste	avreste sparso	spargete
3 spargerebbero	avrebbero sparso	spargano

SUBJUNCTIVE

PRESENT	IMPERFECT	PLUPERFECT
1 sparga	spargessi	avessi sparso
2 sparga	spargessi	avessi sparso
3 sparga	spargesse	avesse sparso
1 spargiamo	spargessimo	avessimo sparso
2 spargiate	spargeste	aveste sparso
3 spargano	spargessero	avessero sparso

PASSATO PROSSIMO	abbia sparso *etc*

INFINITIVE	*GERUND*	*PAST PARTICIPLE*
PRESENT	spargendo	sparso
spargere		
PAST		
aver(e) sparso		

SPEGNERE
to put out

PRESENT	IMPERFECT	FUTURE
1 spengo	spegnevo	spegnerò
2 spegni	spegnevi	spegnerai
3 spegne	spegneva	spegnerà
1 spegniamo	spegnevamo	spegneremo
2 spegnete	spegnevate	spegnerete
3 spengono	spegnevano	spegneranno

PASSATO REMOTO	PASSATO PROSSIMO	PLUPERFECT
1 spensi	ho spento	avevo spento
2 spegnesti	hai spento	avevi spento
3 spense	ha spento	aveva spento
1 spegnemmo	abbiamo spento	avevamo spento
2 spegneste	avete spento	avevate spento
3 spensero	hanno spento	avevano spento

PAST ANTERIOR	FUTURE PERFECT
ebbi spento *etc*	avrò spento *etc*

CONDITIONAL		IMPERATIVE

PRESENT	PAST	
1 spegnerei	avrei spento	
2 spegneresti	avresti spento	spegni
3 spegnerebbe	avrebbe spento	spenga
1 spegneremmo	avremmo spento	spegniamo
2 spegnereste	avreste spento	spegnete
3 spegnerebbero	avrebbero spento	spengano

SUBJUNCTIVE

PRESENT	IMPERFECT	PLUPERFECT
1 spenga	spegnessi	avessi spento
2 spenga	spegnessi	avessi spento
3 spenga	spegnesse	avesse spento
1 spegniamo	spegnessimo	avessimo spento
2 spegniate	spegneste	aveste spento
3 spengano	spegnessero	avessero spento

PASSATO PROSSIMO	abbia spento *etc*

INFINITIVE	GERUND	PAST PARTICIPLE
PRESENT	spegnendo	spento
spegnere		
PAST		
aver(e) spento		

SPENDERE
to spend

PRESENT	IMPERFECT	FUTURE
1 spendo	spendevo	spenderò
2 spendi	spendevi	spenderai
3 spende	spendeva	spenderà
1 spendiamo	spendevamo	spenderemo
2 spendete	spendevate	spenderete
3 spendono	spendevano	spenderanno

PASSATO REMOTO	PASSATO PROSSIMO	PLUPERFECT
1 spesi	ho speso	avevo speso
2 spendesti	hai speso	avevi speso
3 spese	ha speso	aveva speso
1 spendemmo	abbiamo speso	avevamo speso
2 spendeste	avete speso	avevate speso
3 spesero	hanno speso	avevano speso

PAST ANTERIOR	FUTURE PERFECT
ebbi speso *etc*	avrò speso *etc*

CONDITIONAL		*IMPERATIVE*
PRESENT	**PAST**	
1 spenderei	avrei speso	
2 spenderesti	avresti speso	spendi
3 spenderebbe	avrebbe speso	spenda
1 spenderemmo	avremmo speso	spendiamo
2 spendereste	avreste speso	spendete
3 spenderebbero	avrebbero speso	spendano

SUBJUNCTIVE

PRESENT	IMPERFECT	PLUPERFECT
1 spenda	spendessi	avessi speso
2 spenda	spendessi	avessi speso
3 spenda	spendesse	avesse speso
1 spendiamo	spendessimo	avessimo speso
2 spendiate	spendeste	aveste speso
3 spendano	spendessero	avessero speso

PASSATO PROSSIMO	abbia speso *etc*

INFINITIVE	*GERUND*	*PAST PARTICIPLE*
PRESENT	spendendo	speso
spendere		
PAST		
aver(e) speso		

SPINGERE
to push

PRESENT	IMPERFECT	FUTURE
1 spingo	spingevo	spingerò
2 spingi	spingevi	spingerai
3 spinge	spingeva	spingerà
1 spingiamo	spingevamo	spingeremo
2 spingete	spingevate	spingerete
3 spingono	spingevano	spingeranno

PASSATO REMOTO	PASSATO PROSSIMO	PLUPERFECT
1 spinsi	ho spinto	avevo spinto
2 spingesti	hai spinto	avevi spinto
3 spinse	ha apinto	aveva spinto
1 spingemmo	abbiamo spinto	avevamo spinto
2 spingeste	avete spinto	avevate spinto
3 spinsero	hanno spinto	avevano spinto

PAST ANTERIOR	FUTURE PERFECT
ebbi spinto etc	avrò spinto etc

CONDITIONAL		*IMPERATIVE*

PRESENT	PAST	
1 spingerei	avrei spinto	
2 spingeresti	avresti spinto	spingi
3 spingerebbe	avrebbe spinto	spinga
1 spingeremmo	avremmo spinto	spingiamo
2 spingereste	avreste spinto	spingete
3 spingerebbero	avrebbero spinto	spingano

SUBJUNCTIVE

PRESENT	IMPERFECT	PLUPERFECT
1 spinga	spingessi	avessi spinto
2 spinga	spingessi	avessi spinto
3 spinga	spingesse	avesse spinto
1 spingiamo	spingessimo	avessimo spinto
2 spingiate	spingeste	aveste spinto
3 spingano	spingessero	avessero spinto

PASSATO PROSSIMO	abbia spinto etc

INFINITIVE	*GERUND*	*PAST PARTICIPLE*
PRESENT	spingendo	spinto
spingere		
PAST		
aver(e) spinto		

STARE
to be

PRESENT	IMPERFECT	FUTURE
1 sto	stavo	starò
2 stai	stavi	starai
3 sta	stava	starà
1 stiamo	stavamo	staremo
2 state	stavate	starete
3 stanno	stavano	staranno

PASSATO REMOTO	PASSATO PROSSIMO	PLUPERFECT
1 stetti	sono stato/a	ero stato/a
2 stesti	sei stato/a	eri stato/a
3 stette	è stato/a	era stato/a
1 stemmo	siamo stati/e	eravamo stati/e
2 steste	siete stati/e	eravate stati/e
3 stettero	sono stati/e	erano stati/e

PAST ANTERIOR		FUTURE PERFECT
fui stato/a etc		sarò stato/a etc

CONDITIONAL		IMPERATIVE
PRESENT	**PAST**	
1 starei	sarei stato/a	
2 staresti	saresti stato/a	sta/stai/sta'
3 starebbe	sarebbe stato/a	stia
1 staremmo	saremmo stati/e	stiamo
2 stareste	sareste stati/e	state
3 starebbero	sarebbero stati/e	stiano

SUBJUNCTIVE

PRESENT	IMPERFECT	PLUPERFECT
1 stia	stessi	fossi stato/a
2 stia	stessi	fossi stato/a
3 stia	stesse	fosse stato/a
1 stiamo	stessimo	fossimo stati/e
2 stiate	steste	foste stati/e
3 stiano	stessero	fossero stati/e

PASSATO PROSSIMO	sia stato/a etc	

INFINITIVE	GERUND	PAST PARTICIPLE
PRESENT	stando	stato/a/i/e
stare		
PAST		
esser(e) stato/a/i/e		

PRESENT	IMPERFECT	FUTURE
1 stendo	stendevo	stenderò
2 stendi	stendevi	stenderai
3 stende	stendeva	stenderà
1 stendiamo	stendevamo	stenderemo
2 stendete	stendevate	stenderete
3 stendono	stendevano	stenderanno

PASSATO REMOTO	PASSATO PROSSIMO	PLUPERFECT
1 stesi	ho steso	avevo steso
2 stendesti	hai steso	avevi steso
3 stese	ha steso	aveva steso
1 stendemmo	abbiamo steso	avevamo steso
2 stendeste	avete steso	avevate steso
3 stesero	hanno steso	avevano steso

PAST ANTERIOR		FUTURE PERFECT
ebbi steso etc		avrò steso etc

CONDITIONAL		IMPERATIVE

PRESENT	PAST	
1 stenderei	avrei steso	
2 stenderesti	avresti steso	stendi
3 stenderebbe	avrebbe steso	stenda
1 stenderemmo	avremmo steso	stendiamo
2 stendereste	avreste steso	stendete
3 stenderebbero	avrebbero steso	stendano

SUBJUNCTIVE		

PRESENT	IMPERFECT	PLUPERFECT
1 stenda	stendessi	avessi steso
2 stenda	stendessi	avessi steso
3 stenda	stendesse	avesse steso
1 stendiamo	stendessimo	avessimo steso
2 stendiate	stendeste	aveste steso
3 stendano	stendessero	avessero steso

PASSATO PROSSIMO	abbia steso etc	

INFINITIVE	GERUND	PAST PARTICIPLE
PRESENT	stendendo	steso
stendere		
PAST		
aver(e) steso		

STRINGERE
to clasp, grip, hold tight

PRESENT	IMPERFECT	FUTURE
1 stringo	stringevo	stringerò
2 stringi	stringevi	stringerai
3 stringe	stringeva	stringerà
1 stringiamo	stringevamo	stringeremo
2 stringete	stringevate	stringerete
3 stringono	stringevano	stringeranno

PASSATO REMOTO	PASSATO PROSSIMO	PLUPERFECT
1 strinsi	ho stretto	avevo stretto
2 stringesti	hai stretto	avevi stretto
3 strinse	ha stretto	aveva stretto
1 stringemmo	abbiamo stretto	avevamo stretto
2 stringeste	avete stretto	avevate stretto
3 strinsero	hanno stretto	avevano stretto

PAST ANTERIOR	FUTURE PERFECT
ebbi stretto *etc*	avrò stretto *etc*

CONDITIONAL

IMPERATIVE

PRESENT	PAST	
1 stringerei	avrei stretto	
2 stringeresti	avresti stretto	stringi
3 stringerebbe	avrebbe stretto	stringa
1 stringeremmo	avremmo stretto	stringiamo
2 stringereste	avreste stretto	stringete
3 stringerebbero	avrebbero stretto	stringano

SUBJUNCTIVE

PRESENT	IMPERFECT	PLUPERFECT
1 stringa	stringessi	avessi stretto
2 stringa	stringessi	avessi stretto
3 stringa	stringesse	avesse stretto
1 stringiamo	stringessimo	avessimo stretto
2 stringiate	stringeste	aveste stretto
3 stringano	stringessero	avessero stretto

PASSATO PROSSIMO	abbia stretto *etc*

INFINITIVE	GERUND	*PAST PARTICIPLE*
PRESENT	stringendo	stretto
stringere		
PAST		
aver(e) stretto		

STUDIARE
to study

	PRESENT	IMPERFECT	FUTURE
1	studio	studiavo	studierò
2	studi	studiavi	studierai
3	studia	studiava	studierà
1	studiamo	studiavamo	studieremo
2	studiate	studiavate	studierete
3	studiano	studiavano	studieranno

	PASSATO REMOTO	PASSATO PROSSIMO	PLUPERFECT
1	studiai	ho studiato	avevo studiato
2	studiasti	hai studiato	avevi studiato
3	studiò	ha studiato	aveva studiato
1	studiammo	abbiamo studiato	avevamo studiato
2	studiaste	avete studiato	avevate studiato
3	studiarono	hanno studiato	avevano studiato

PAST ANTERIOR	FUTURE PERFECT
ebbi studiato *etc*	avrò studiato *etc*

CONDITIONAL		*IMPERATIVE*

	PRESENT	PAST	
1	studierei	avrei studiato	
2	studieresti	avresti studiato	studia
3	studierebbe	avrebbe studiato	studi
1	studieremmo	avremmo studiato	studiamo
2	studiereste	avreste studiato	studiate
3	studierebbero	avrebbero studiato	studino

SUBJUNCTIVE

	PRESENT	IMPERFECT	PLUPERFECT
1	studi	studiassi	avessi studiato
2	studi	studiassi	avessi studiato
3	studi	studiasse	avesse studiato
1	studiamo	studiassimo	avessimo studiato
2	studiate	studiaste	aveste studiato
3	studino	studiassero	avessero studiato

PASSATO PROSSIMO	abbia studiato *etc*

INFINITIVE	*GERUND*	*PAST PARTICIPLE*
PRESENT	studiando	studiato
studiare		
PAST		
aver(e) studiato		

190

SUCCEDERE
to come after, happen

PRESENT	IMPERFECT	FUTURE
1 succedo	succedevo	succederò
2 succedi	succedevi	succederai
3 succede	succedeva	succederà
1 succediamo	succedevamo	succederemo
2 succedete	succedevate	succederete
3 succedono	succedevano	succederanno

PASSATO REMOTO	PASSATO PROSSIMO	PLUPERFECT
1 successi/succedetti*	sono successo/a	ero successo/a
2 succedesti	sei successo/a	eri successo/a
3 successe/succedette*	è successo/a	era successo/a
1 succedemmo	siamo successi/e	eravamo successi/e
2 succedeste	siete successi/e	eravate successi/e
3 successero/succedettero*	sono successi/e	erano successi/e

PAST ANTERIOR		FUTURE PERFECT
fui successo/a *etc*		sarò successo/a *etc*

CONDITIONAL		IMPERATIVE

PRESENT	PAST	
1 succederei	sarei successo/a	
2 succederesti	saresti successo/a	succedi
3 succederebbe	sarebbe successo/a	succeda
1 succederemmo	saremmo successi/e	succediamo
2 succedereste	sareste successi/e	succedete
3 succederebbero	sarebbero successi/e	succedano

SUBJUNCTIVE

PRESENT	IMPERFECT	PLUPERFECT
1 succeda	succedessi	fossi successo/a
2 succeda	succedessi	fossi successo/a
3 succeda	succedesse	fosse successo/a
1 succediamo	succedessimo	fossimo successi/e
2 succediate	succedeste	foste successi/e
3 succedano	succedessero	fossero successi/e

PASSATO PROSSIMO	sia successo/a *etc*	

INFINITIVE	GERUND	PAST PARTICIPLE
PRESENT	succedendo	successo/a/i/e
succedere		
PAST	**NOTE:** alternative past participle 'succeduto' and asterisked 'passato remoto' forms may be used when verb = 'to come after'	
esser(e) successo/a/i/e		

SVOLGERE
to unroll

	PRESENT	IMPERFECT	FUTURE
1	svolgo	svolgevo	svolgerò
2	svolgi	svolgevi	svolgerai
3	svolge	svolgeva	svolgerà
1	svolgiamo	svolgevamo	svolgeremo
2	svolgete	svolgevate	svolgerete
3	svolgono	svolgevano	svolgeranno

	PASSATO REMOTO	PASSATO PROSSIMO	PLUPERFECT
1	svolsi	ho svolto	avevo svolto
2	svolgesti	hai svolto	avevi svolto
3	svolse	ha svolto	aveva svolto
1	svolgemmo	abbiamo svolto	avevamo svolto
2	svolgeste	avete svolto	avevate svolto
3	svolsero	hanno svolto	avevano svolto

PAST ANTERIOR	FUTURE PERFECT
ebbi svolto *etc*	avrò svolto *etc*

CONDITIONAL	*IMPERATIVE*

	PRESENT	PAST	
1	svolgerei	avrei svolto	
2	svolgeresti	avresti svolto	svolgi
3	svolgerebbe	avrebbe svolto	svolga
1	svolgeremmo	avremmo svolto	svolgiamo
2	svolgereste	avreste svolto	svolgete
3	svolgerebbero	avrebbero svolto	svolgano

SUBJUNCTIVE

	PRESENT	IMPERFECT	PLUPERFECT
1	svolga	svolgessi	avessi svolto
2	svolga	svolgessi	avessi svolto
3	svolga	svolgesse	avesse svolto
1	svolgiamo	svolgessimo	avessimo svolto
2	svolgiate	svolgeste	aveste svolto
3	svolgano	svolgessero	avessero svolto

PASSATO PROSSIMO	abbia svolto *etc*

INFINITIVE	*GERUND*	*PAST PARTICIPLE*
PRESENT	svolgendo	svolto
svolgere		
PAST		
aver(e) svolto		

TACERE
to be silent

PRESENT	IMPERFECT	FUTURE
1 taccio	tacevo	tacerò
2 taci	tacevi	tacerai
3 tace	taceva	tacerà
1 tacciamo	tacevamo	taceremo
2 tacete	tacevate	tacerete
3 tacciono	tacevano	taceranno

PASSATO REMOTO	PASSATO PROSSIMO	PLUPERFECT
1 tacqui	ho taciuto	avevo taciuto
2 tacesti	hai taciuto	avevi taciuto
3 tacque	ha taciuto	aveva taciuto
1 tacemmo	abbiamo taciuto	avevamo taciuto
2 taceste	avete taciuto	avevate taciuto
3 tacquero	hanno taciuto	avevano taciuto

PAST ANTERIOR		FUTURE PERFECT
ebbi taciuto *etc*		avrò taciuto *etc*

CONDITIONAL		*IMPERATIVE*
PRESENT	**PAST**	
1 tacerei	avrei taciuto	
2 taceresti	avresti taciuto	taci
3 tacerebbe	avrebbe taciuto	taccia
1 taceremmo	avremmo taciuto	tacciamo
2 tacereste	avreste taciuto	tacete
3 tacerebbero	avrebbero taciuto	tacciano

SUBJUNCTIVE		
PRESENT	**IMPERFECT**	**PLUPERFECT**
1 taccia	tacessi	avessi taciuto
2 taccia	tacessi	avessi taciuto
3 taccia	tacesse	avesse taciuto
1 tacciamo	tacessimo	avessimo taciuto
2 tacciate	taceste	aveste taciuto
3 tacciano	tacessero	avessero taciuto

PASSATO PROSSIMO	abbia taciuto *etc*	

INFINITIVE	*GERUND*	*PAST PARTICIPLE*
PRESENT	tacendo	taciuto
tacere		
PAST		
aver(e) taciuto		

TEMERE
to fear, be afraid of

PRESENT	IMPERFECT	FUTURE
1 temo	temevo	temerò
2 temi	temevi	temerai
3 teme	temeva	temerà
1 temiamo	temevamo	temeremo
2 temete	temevate	temerete
3 temono	temevano	temeranno

PASSATO REMOTO	PASSATO PROSSIMO	PLUPERFECT
1 temei/temetti	ho temuto	avevo temuto
2 temesti	hai temuto	avevi temuto
3 temé/temette	ha temuto	aveva temuto
1 tememmo	abbiamo temuto	avevamo temuto
2 temeste	avete temuto	avevate temuto
3 temerono/temettero	hanno temuto	avevano temuto

PAST ANTERIOR	FUTURE PERFECT
ebbi temuto *etc*	avrò temuto *etc*

CONDITIONAL		*IMPERATIVE*

PRESENT	PAST	
1 temerei	avrei temuto	
2 temeresti	avresti temuto	temi
3 temerebbe	avrebbe temuto	tema
1 temeremmo	avremmo temuto	temiamo
2 temereste	avreste temuto	temete
3 temerebbero	avrebbero temuto	temano

SUBJUNCTIVE

PRESENT	IMPERFECT	PLUPERFECT
1 tema	temessi	avessi temuto
2 tema	temessi	avessi temuto
3 tema	temesse	avesse temuto
1 temiamo	temessimo	avessimo temuto
2 temiate	temeste	aveste temuto
3 temano	temessero	avessero temuto

PASSATO PROSSIMO	abbia temuto *etc*

INFINITIVE	*GERUND*	*PAST PARTICIPLE*
PRESENT	temendo	temuto
temere		
PAST		
aver(e) temuto		

194

TENERE
to hold

PRESENT	IMPERFECT	FUTURE
1 tengo	tenevo	terrò
2 tieni	tenevi	terrai
3 tiene	teneva	terrà
1 teniamo	tenevamo	terremo
2 tenete	tenevate	terrete
3 tengono	tenevano	terranno

PASSATO REMOTO	PASSATO PROSSIMO	PLUPERFECT
1 tenni	ho tenuto	avevo tenuto
2 tenesti	hai tenuto	avevi tenuto
3 tenne	ha tenuto	aveva tenuto
1 tenemmo	abbiamo tenuto	avevamo tenuto
2 teneste	avete tenuto	avevate tenuto
3 tennero	hanno tenuto	avevano tenuto

PAST ANTERIOR		FUTURE PERFECT
ebbi tenuto *etc*		avrò tenuto *etc*

CONDITIONAL		IMPERATIVE

PRESENT	PAST	
1 terrei	avrei tenuto	
2 terresti	avresti tenuto	tieni
3 terrebbe	avrebbe tenuto	tenga
1 terremmo	avremmo tenuto	teniamo
2 terreste	avreste tenuto	tenete
3 terrebbero	avrebbero tenuto	tengano

SUBJUNCTIVE

PRESENT	IMPERFECT	PLUPERFECT
1 tenga	tenessi	avessi tenuto
2 tenga	tenessi	avessi tenuto
3 tenga	tenesse	avesse tenuto
1 teniamo	tenessimo	avessimo tenuto
2 teniate	teneste	aveste tenuto
3 tengano	tenessero	avessero tenuto

PASSATO PROSSIMO	abbia tenuto *etc*

INFINITIVE	GERUND	PAST PARTICIPLE
PRESENT	tenendo	tenuto
tenere		
PAST		
aver(e) tenuto		

TOCCARE
to touch, concern

	PRESENT	**IMPERFECT**	**FUTURE**
1	tocco	toccavo	toccherò
2	tocchi	toccavi	toccherai
3	tocca	toccava	toccherà
1	tocchiamo	toccavamo	toccheremo
2	toccate	toccavate	toccherete
3	toccano	toccavano	toccheranno

	PASSATO REMOTO	**PASSATO PROSSIMO**	**PLUPERFECT**
1	toccai	ho toccato	avevo toccato
2	toccasti	hai toccato	avevi toccato
3	toccò	ha toccato	aveva toccato
1	toccammo	abbiamo toccato	avevamo toccato
2	toccaste	avete toccato	avevate toccato
3	toccarono	hanno toccato	avevano toccato

PAST ANTERIOR	**FUTURE PERFECT**
ebbi toccato *etc*	avrò toccato *etc*

CONDITIONAL		**IMPERATIVE**

	PRESENT	**PAST**	
1	toccherei	avrei toccato	
2	toccheresti	avresti toccato	tocca
3	toccherebbe	avrebbe toccato	tocchi
1	toccheremmo	avremmo toccato	tocchiamo
2	tocchereste	avreste toccato	toccate
3	toccherebbero	avrebbero toccato	tocchino

SUBJUNCTIVE

	PRESENT	**IMPERFECT**	**PLUPERFECT**
1	tocchi	toccassi	avessi toccato
2	tocchi	toccassi	avessi toccato
3	tocchi	toccasse	avesse toccato
1	tocchiamo	toccassimo	avessimo toccato
2	tocchiate	toccaste	aveste toccato
3	tocchino	toccassero	avessero toccato

PASSATO PROSSIMO	abbia toccato *etc*

INFINITIVE	**GERUND**	**PAST PARTICIPLE**
PRESENT	toccando	toccato
toccare		
PAST		
aver(e) toccato		

TOGLIERE
to take off, remove

PRESENT	IMPERFECT	FUTURE
1 tolgo	toglievo	toglierò
2 togli	toglievi	toglierai
3 toglie	toglieva	toglierà
1 togliamo	toglievamo	toglieremo
2 togliete	toglievate	toglierete
3 tolgono	toglievano	toglieranno

PASSATO REMOTO	PASSATO PROSSIMO	PLUPERFECT
1 tolsi	ho tolto	avevo tolto
2 togliesti	hai tolto	avevi tolto
3 tolse	ha tolto	aveva tolto
1 togliemmo	abbiamo tolto	avevamo tolto
2 toglieste	avete tolto	avevate tolto
3 tolsero	hanno tolto	avevano tolto

PAST ANTERIOR	FUTURE PERFECT
ebbi tolto *etc*	avrò tolto *etc*

CONDITIONAL		*IMPERATIVE*
PRESENT	**PAST**	
1 toglierei	avrei tolto	
2 toglieresti	avresti tolto	togli
3 toglierebbe	avrebbe tolto	tolga
1 toglieremmo	avremmo tolto	togliamo
2 togliereste	avreste tolto	togliete
3 toglierebbero	avrebbero tolto	tolgano

SUBJUNCTIVE		
PRESENT	**IMPERFECT**	**PLUPERFECT**
1 tolga	togliessi	avessi tolto
2 tolga	togliessi	avessi tolto
3 tolga	togliesse	avesse tolto
1 togliamo	togliessimo	avessimo tolto
2 togliate	toglieste	aveste tolto
3 tolgano	togliessero	avessero tolto

PASSATO PROSSIMO	abbia tolto *etc*

INFINITIVE	*GERUND*	*PAST PARTICIPLE*
PRESENT	togliendo	tolto
togliere		
PAST		
aver(e) tolto		

to twist

	PRESENT	IMPERFECT	FUTURE
1	torco	torcevo	torcerò
2	torci	torcevi	torcerai
3	torce	torceva	torcerà
1	torciamo	torcevamo	torceremo
2	torcete	torcevate	torcerete
3	torcono	torcevano	torceranno

	PASSATO REMOTO	PASSATO PROSSIMO	PLUPERFECT
1	torsi	ho torto	avevo torto
2	torcesti	hai torto	avevi torto
3	torse	ha torto	aveva torto
1	torcemmo	abbiamo torto	avevamo torto
2	torceste	avete torto	avevate torto
3	torsero	hanno torto	avevano torto

PAST ANTERIOR	FUTURE PERFECT
ebbi torto *etc*	avrò torto *etc*

CONDITIONAL		*IMPERATIVE*

	PRESENT	PAST	
1	torcerei	avrei torto	
2	torceresti	avresti torto	torci
3	torcerebbe	avrebbe torto	torca
1	torceremmo	avremmo torto	torciamo
2	torcereste	avreste torto	torcete
3	torcerebbero	avrebbero torto	torcano

SUBJUNCTIVE

	PRESENT	IMPERFECT	PLUPERFECT
1	torca	torcessi	avessi torto
2	torca	torcessi	avessi torto
3	torca	torcesse	avesse torto
1	torciamo	torcessimo	avessimo torto
2	torciate	torceste	aveste torto
3	torcano	torcessero	avessero torto

PASSATO PROSSIMO	abbia torto *etc*

INFINITIVE	*GERUND*	*PAST PARTICIPLE*
PRESENT	torcendo	torto
torcere		
PAST		
aver(e) torto		

TORNARE
to return, go/come back

PRESENT	IMPERFECT	FUTURE
1 torno	tornavo	tornerò
2 torni	tornavi	tornerai
3 torna	tornava	tornerà
1 torniamo	tornavamo	torneremo
2 tornate	tornavate	tornerete
3 tornano	tornavano	torneranno

PASSATO REMOTO	PASSATO PROSSIMO	PLUPERFECT
1 tornai	sono tornato/a	ero tornato/a
2 tornasti	sei tornato/a	eri tornato/a
3 tornò	è tornato/a	era tornato/a
1 tornammo	siamo tornati/e	eravamo tornati/e
2 tornaste	siete tornati/e	eravate tornati/e
3 tornarono	sono tornati/e	erano tornati/e

PAST ANTERIOR	FUTURE PERFECT
fui tornato/a *etc*	sarò tornato/a *etc*

CONDITIONAL		*IMPERATIVE*
PRESENT	**PAST**	
1 tornerei	sarei tornato/a	
2 torneresti	saresti tornato/a	torna
3 tornerebbe	sarebbe tornato/a	torni
1 torneremmo	saremmo tornati/e	torniamo
2 tornereste	sareste tornati/e	tornate
3 tornerebbero	sarebbero tornati/e	tornino

SUBJUNCTIVE

PRESENT	IMPERFECT	PLUPERFECT
1 torni	tornassi	fossi tornato/a
2 torni	tornassi	fossi tornato/a
3 torni	tornasse	fosse tornato/a
1 torniamo	tornassimo	fossimo tornati/e
2 torniate	tornaste	foste tornati/e
3 tornino	tornassero	fossero tornati/e

PASSATO PROSSIMO	sia tornato/a *etc*

INFINITIVE	*GERUND*	*PAST PARTICIPLE*
PRESENT	tornando	tornato/a/i/e
tornare		
PAST		
esser(e) tornato/a/i/e		

to translate

	PRESENT	IMPERFECT	FUTURE
1	traduco	traducevo	tradurrò
2	traduci	traducevi	tradurrai
3	traduce	traduceva	tradurrà
1	traduciamo	traducevamo	tradurremo
2	traducete	traducevate	tradurrete
3	traducono	traducevano	tradurranno

	PASSATO REMOTO	PASSATO PROSSIMO	PLUPERFECT
1	tradussi	ho tradotto	avevo tradotto
2	traducesti	hai tradotto	avevi tradotto
3	tradusse	ha tradotto	aveva tradotto
1	traducemmo	abbiamo tradotto	avevamo tradotto
2	traduceste	avete tradotto	avevate tradotto
3	tradussero	hanno tradotto	avevano tradotto

PAST ANTERIOR	FUTURE PERFECT
ebbi tradotto *etc*	avrò tradotto *etc*

CONDITIONAL		*IMPERATIVE*

	PRESENT	PAST	
1	tradurrei	avrei tradotto	
2	tradurresti	avresti tradotto	traduci
3	tradurrebbe	avrebbe tradotto	traduca
1	tradurremmo	avremmo tradotto	traduciamo
2	tradurreste	avreste tradotto	traducete
3	tradurrebbero	avrebbero tradotto	traducano

SUBJUNCTIVE

	PRESENT	IMPERFECT	PLUPERFECT
1	traduca	traducessi	avessi tradotto
2	traduca	traducessi	avessi tradotto
3	traduca	traducesse	avesse tradotto
1	traduciamo	traducessimo	avessimo tradotto
2	traduciate	traduceste	aveste tradotto
3	traducano	traducessero	avessero tradotto

PASSATO PROSSIMO	abbia tradotto *etc*

INFINITIVE	*GERUND*	*PAST PARTICIPLE*
PRESENT	traducendo	tradotto
tradurre		
PAST		
aver(e) tradotto		

TRARRE
to draw

PRESENT	IMPERFECT	FUTURE
1 traggo	traevo	trarrò
2 trai	traevi	trarrai
3 trae	traeva	trarrà
1 traiamo	traevamo	trarremo
2 traete	traevate	trarrete
3 traggono	traevano	trarranno

PASSATO REMOTO	PASSATO PROSSIMO	PLUPERFECT
1 trassi	ho tratto	avevo tratto
2 traesti	hai tratto	avevi tratto
3 trasse	ha tratto	aveva tratto
1 traemmo	abbiamo tratto	avevamo tratto
2 traeste	avete tratto	avevate tratto
3 trassero	hanno tratto	avevano tratto

PAST ANTERIOR	FUTURE PERFECT
ebbi tratto *etc*	avrò tratto *etc*

CONDITIONAL

IMPERATIVE

PRESENT	PAST	
1 trarrei	avrei tratto	
2 trarresti	avresti tratto	trai
3 trarrebbe	avrebbe tratto	tragga
1 trarremmo	avremmo tratto	traiamo
2 trarreste	avreste tratto	traete
3 trarrebbero	avrebbero tratto	traggano

SUBJUNCTIVE

PRESENT	IMPERFECT	PLUPERFECT
1 tragga	traessi	avessi tratto
2 tragga	traessi	avessi tratto
3 tragga	traesse	avesse tratto
1 traiamo	traessimo	avessimo tratto
2 traiate	traeste	aveste tratto
3 traggano	traessero	avessero tratto

PASSATO PROSSIMO	abbia tratto *etc*

INFINITIVE	GERUND	PAST PARTICIPLE
PRESENT	traendo	tratto
trarre		
PAST		
aver(e) tratto		

UCCIDERE
to kill

	PRESENT	IMPERFECT	FUTURE
1	uccido	uccidevo	ucciderò
2	uccidi	uccidevi	ucciderai
3	uccide	uccideva	ucciderà
1	uccidiamo	uccidevamo	uccideremo
2	uccidete	uccidevate	ucciderete
3	uccidono	uccidevano	uccideranno

	PASSATO REMOTO	PASSATO PROSSIMO	PLUPERFECT
1	uccisi	ho ucciso	avevo ucciso
2	uccidesti	hai ucciso	avevi ucciso
3	uccise	ha ucciso	aveva ucciso
1	uccidemmo	abbiamo ucciso	avevamo ucciso
2	uccideste	avete ucciso	avevate ucciso
3	uccisero	hanno ucciso	avevano ucciso

PAST ANTERIOR	FUTURE PERFECT
ebbi ucciso *etc*	avrò ucciso *etc*

CONDITIONAL		*IMPERATIVE*

	PRESENT	PAST	
1	ucciderei	avrei ucciso	
2	uccideresti	avresti ucciso	uccidi
3	ucciderebbe	avrebbe ucciso	uccida
1	uccideremmo	avremmo ucciso	uccidiamo
2	uccidereste	avreste ucciso	uccidete
3	ucciderebbero	avrebbero ucciso	uccidano

SUBJUNCTIVE

	PRESENT	IMPERFECT	PLUPERFECT
1	uccida	uccidessi	avessi ucciso
2	uccida	uccidessi	avessi ucciso
3	uccida	uccidesse	avesse ucciso
1	uccidiamo	uccidessimo	avessimo ucciso
2	uccidiate	uccideste	aveste ucciso
3	uccidano	uccidessero	avessero ucciso

PASSATO PROSSIMO	abbia ucciso *etc*

INFINITIVE	*GERUND*	*PAST PARTICIPLE*
PRESENT	uccidendo	ucciso
uccidere		
PAST		
aver(e) ucciso		

UDIRE
to hear

PRESENT	IMPERFECT	FUTURE
1 odo	udivo	udirò
2 odi	udivi	udirai
3 ode	udiva	udirà
1 udiamo	udivamo	udiremo
2 udite	udivate	udirete
3 odono	udivano	udiranno

PASSATO REMOTO	PASSATO PROSSIMO	PLUPERFECT
1 udii	ho udito	avevo udito
2 udisti	hai udito	avevi udito
3 udì	ha udito	aveva udito
1 udimmo	abbiamo udito	avevamo udito
2 udiste	avete udito	avevate udito
3 udirono	hanno udito	avevano udito

PAST ANTERIOR	FUTURE PERFECT
ebbi udito *etc*	avrò udito *etc*

CONDITIONAL		*IMPERATIVE*

PRESENT	PAST	
1 udirei	avrei udito	
2 udiresti	avresti udito	odi
3 udirebbe	avrebbe udito	oda
1 udiremmo	avremmo udito	udiamo
2 udireste	avreste udito	udite
3 udirebbero	avrebbero udito	odano

SUBJUNCTIVE

PRESENT	IMPERFECT	PLUPERFECT
1 oda	udissi	avessi udito
2 oda	udissi	avessi udito
3 oda	udisse	avesse udito
1 udiamo	udissimo	avessimo udito
2 udiate	udiste	aveste udito
3 odano	udissero	avessero udito

PASSATO PROSSIMO	abbia udito *etc*

INFINITIVE	*GERUND*	*PAST PARTICIPLE*
PRESENT	udendo	udito
udire		
PAST		
aver(e) udito		

USCIRE
to go out

	PRESENT	IMPERFECT	FUTURE
1	esco	uscivo	uscirò
2	esci	uscivi	uscirai
3	esce	usciva	uscirà
1	usciamo	uscivamo	usciremo
2	uscite	uscivate	uscirete
3	escono	uscivano	usciranno

	PASSATO REMOTO	PASSATO PROSSIMO	PLUPERFECT
1	uscii	sono uscito/a	ero uscito/a
2	uscisti	sei uscito/a	eri uscito/a
3	uscì	è uscito/a	era uscito/a
1	uscimmo	siamo usciti/e	eravamo usciti/e
2	usciste	siete usciti/e	eravate usciti/e
3	uscirono	sono usciti/e	erano usciti/e

PAST ANTERIOR	FUTURE PERFECT
fui uscito/a *etc*	sarò uscito/a *etc*

CONDITIONAL

	PRESENT	PAST	IMPERATIVE
1	uscirei	sarei uscito/a	
2	usciresti	saresti uscito/a	esci
3	uscirebbe	sarebbe uscito/a	esca
1	usciremmo	saremmo usciti/e	usciamo
2	uscireste	sareste usciti/e	uscite
3	uscirebbero	sarebbero usciti/e	escano

SUBJUNCTIVE

	PRESENT	IMPERFECT	PLUPERFECT
1	esca	uscissi	fossi uscito/a
2	esca	uscissi	fossi uscito/a
3	esca	uscisse	fosse uscito/a
1	usciamo	uscissimo	fossimo usciti/e
2	usciate	usciste	foste usciti/e
3	escano	uscissero	fossero usciti/e

PASSATO PROSSIMO	sia uscito/a *etc*

INFINITIVE

	GERUND	PAST PARTICIPLE
PRESENT uscire	uscendo	uscito/a/i/e
PAST esser(e) uscito/a/i/e		

VALERE
to be worth

PRESENT	IMPERFECT	FUTURE
1 valgo	valevo	varrò
2 vali	valevi	varrai
3 vale	valeva	varrà
1 valiamo	valevamo	varremo
2 valete	valevate	varrete
3 valgono	valevano	varranno

PASSATO REMOTO	PASSATO PROSSIMO	PLUPERFECT
1 valsi	sono valso/a	ero valso/a
2 valesti	sei valso/a	eri valso/a
3 valse	è valso/a	era valso/a
1 valemmo	siamo valsi/e	eravamo valsi/e
2 valeste	siete valsi/e	eravate valsi/e
3 valsero	sono valsi/e	erano valsi/e

PAST ANTERIOR		FUTURE PERFECT
fui valso/a *etc*		sarò valso/a *etc*

CONDITIONAL		*IMPERATIVE*

PRESENT	PAST	
1 varrei	sarei valso/a	
2 varresti	saresti valso/a	
3 varrebbe	sarebbe valso/a	
1 varremmo	saremmo valsi/e	
2 varreste	sareste valsi/e	
3 varrebbero	sarebbero valsi/e	

SUBJUNCTIVE

PRESENT	IMPERFECT	PLUPERFECT
1 valga	valessi	fossi valso/a
2 valga	valessi	fossi valso/a
3 valga	valesse	fosse valso/a
1 valiamo	valessimo	fossimo valsi/e
2 valiate	valeste	foste valsi/e
3 valgano	valessero	fossero valsi/e

PASSATO PROSSIMO	sia valso/a *etc*

INFINITIVE	*GERUND*	*PAST PARTICIPLE*
PRESENT	valendo	valso/a/i/e
valere		
PAST		
esser(e) valso/a/i/e		

VEDERE
to see

PRESENT	IMPERFECT	FUTURE
1 vedo	vedevo	vedrò
2 vedi	vedevi	vedrai
3 vede	vedeva	vedrà
1 vediamo	vedevamo	vedremo
2 vedete	vedevate	vedrete
3 vedono	vedevano	vedranno

PASSATO REMOTO	PASSATO PROSSIMO	PLUPERFECT
1 vidi	ho visto/veduto	avevo visto/veduto
2 vedesti	hai visto/veduto	avevi visto/veduto
3 vide	ha visto/veduto	aveva visto/veduto
1 vedemmo	abbiamo visto/veduto	avevamo visto/veduto
2 vedeste	avete visto/veduto	avevate visto/veduto
3 videro	hanno visto/veduto	avevano visto/veduto

PAST ANTERIOR		FUTURE PERFECT
ebbi visto/veduto *etc*		avrò visto/veduto *etc*

CONDITIONAL		*IMPERATIVE*

PRESENT	PAST	
1 vedrei	avrei visto/veduto	
2 vedresti	avresti visto/veduto	vedi
3 vedrebbe	avrebbe visto/veduto	veda
1 vedremmo	avremmo visto/veduto	vediamo
2 vedreste	avreste visto/veduto	vedete
3 vedrebbero	avrebbero visto/veduto	vedano

SUBJUNCTIVE

PRESENT	IMPERFECT	PLUPERFECT
1 veda	vedessi	avessi visto/veduto
2 veda	vedessi	avessi visto/veduto
3 veda	vedesse	avesse visto/veduto
1 vediamo	vedessimo	avessimo visto/veduto
2 vediate	vedeste	aveste visto/veduto
3 vedano	vedessero	avessero visto/veduto

PASSATO PROSSIMO	abbia visto/veduto *etc*

INFINITIVE	*GERUND*	*PAST PARTICIPLE*
PRESENT	vedendo	visto/veduto
vedere		
PAST	NOTE: 'vedere' has two past participles which are used	
aver(e) visto/veduto	entirely interchangeably	

VENIRE
to come

PRESENT	IMPERFECT	FUTURE
1 vengo	venivo	verrò
2 vieni	venivi	verrai
3 viene	veniva	verrà
1 veniamo	venivamo	verremo
2 venite	venivate	verrete
3 vengono	venivano	verranno

PASSATO REMOTO	PASSATO PROSSIMO	PLUPERFECT
1 venni	sono venuto/a	ero venuto/a
2 venisti	sei venuto/a	eri venuto/a
3 venne	è venuto/a	era venuto/a
1 venimmo	siamo venuti/e	eravamo venuti/e
2 veniste	siete venuti/e	eravate venuti/e
3 vennero	sono venuti/e	erano venuti/e

PAST ANTERIOR		FUTURE PERFECT
fui venuto/a *etc*		sarò venuto/a *etc*

CONDITIONAL		*IMPERATIVE*

PRESENT	PAST	
1 verrei	sarei venuto/a	
2 verresti	saresti venuto/a	vieni
3 verrebbe	sarebbe venuto/a	venga
1 verremmo	saremmo venuti/e	veniamo
2 verreste	sareste venuti/e	venite
3 verrebbero	sarebbero venuti/e	vengano

SUBJUNCTIVE

PRESENT	IMPERFECT	PLUPERFECT
1 venga	venissi	fossi venuto/a
2 venga	venissi	fossi venuto/a
3 venga	venisse	fosse venuto/a
1 veniamo	venissimo	fossimo venuti/e
2 veniate	veniste	foste venuti/e
3 vengano	venissero	fossero venuti/e

PASSATO PROSSIMO	sia venuto/a *etc*	

INFINITIVE	*GERUND*	*PAST PARTICIPLE*
PRESENT	venendo	venuto/a/i/e
venire		
PAST		
esser(e) venuto/a/i/e		

VESTIRSI
to get dressed

	PRESENT	IMPERFECT	FUTURE
1	mi vesto	mi vestivo	mi vestirò
2	ti vesti	ti vestivi	ti vestirai
3	si veste	si vestiva	si vestirà
1	ci vestiamo	ci vestivamo	ci vestiremo
2	vi vestite	vi vestivate	vi vestirete
3	si vestono	si vestivano	si vestiranno

	PASSATO REMOTO	PASSATO PROSSIMO	PLUPERFECT
1	mi vestii	mi sono vestito/a	mi ero vestito/a
2	ti vestisti	ti sei vestito/a	ti eri vestito/a
3	si vestì	si è vestito/a	si era vestito/a
1	ci vestimmo	ci siamo vestiti/e	ci eravamo vestiti/e
2	vi vestiste	vi siete vestiti/e	vi eravate vestiti/e
3	si vestirono	si sono vestiti/e	si erano vestiti/e

PAST ANTERIOR	FUTURE PERFECT
mi fui vestito/a *etc*	mi sarò vestito/a *etc*

CONDITIONAL		*IMPERATIVE*

	PRESENT	PAST	
1	mi vestirei	mi sarei vestito/a	
2	ti vestiresti	ti saresti vestito/a	vestiti
3	si vestirebbe	si sarebbe vestito/a	si vesta
1	ci vestiremmo	ci saremmo vestiti/e	vestiamoci
2	vi vestireste	vi sareste vestiti/e	vestitevi
3	si vestirebbero	si sarebbero vestiti/e	si vestano

SUBJUNCTIVE			

	PRESENT	IMPERFECT	PLUPERFECT
1	mi vesta	mi vestissi	mi fossi vestito/a
2	ti vesta	ti vestissi	ti fossi vestito/a
3	si vesta	si vestisse	si fosse vestito/a
1	ci vestiamo	ci vestissimo	ci fossimo vestiti/e
2	vi vestiate	vi vestiste	vi foste vestiti/e
3	si vestano	si vestissero	si fossero vestiti/e

PASSATO PROSSIMO	mi sia vestito/a *etc*

INFINITIVE	*GERUND*	*PAST PARTICIPLE*
PRESENT	vestendomi *etc*	vestito/a/i/e
vestirsi		
PAST		
essersi vestito/a/i/e		

208

VINCERE
to win, beat

PRESENT	IMPERFECT	FUTURE
1 vinco	vincevo	vincerò
2 vinci	vincevi	vincerai
3 vince	vinceva	vincerà
1 vinciamo	vincevamo	vinceremo
2 vincete	vincevate	vincerete
3 vincono	vincevano	vinceranno

PASSATO REMOTO	PASSATO PROSSIMO	PLUPERFECT
1 vinsi	ho vinto	avevo vinto
2 vincesti	hai vinto	avevi vinto
3 vinse	ha vinto	aveva vinto
1 vincemmo	abbiamo vinto	avevamo vinto
2 vinceste	avete vinto	avevate vinto
3 vinsero	hanno vinto	avevano vinto

PAST ANTERIOR		FUTURE PERFECT
ebbi vinto *etc*		avrò vinto *etc*

CONDITIONAL		*IMPERATIVE*

PRESENT	PAST	
1 vincerei	avrei vinto	
2 vinceresti	avresti vinto	vinci
3 vincerebbe	avrebbe vinto	vinca
1 vinceremmo	avremmo vinto	vinciamo
2 vincereste	avreste vinto	vincete
3 vincerebbero	avrebbero vinto	vincano

SUBJUNCTIVE

PRESENT	IMPERFECT	PLUPERFECT
1 vinca	vincessi	avessi vinto
2 vinca	vincessi	avessi vinto
3 vinca	vincesse	avesse vinto
1 vinciamo	vincessimo	avessimo vinto
2 vinciate	vinceste	aveste vinto
3 vincano	vincessero	avessero vinto

PASSATO PROSSIMO	abbia vinto *etc*

INFINITIVE	*GERUND*	*PAST PARTICIPLE*
PRESENT	vincendo	vinto
vincere		
PAST		
aver(e) vinto		

VIVERE
to live

	PRESENT	IMPERFECT	FUTURE
1	vivo	vivevo	vivrò
2	vivi	vivevi	vivrai
3	vive	viveva	vivrà
1	viviamo	vivevamo	vivremo
2	vivete	vivevate	vivrete
3	vivono	vivevano	vivranno

	PASSATO REMOTO	PASSATO PROSSIMO	PLUPERFECT
1	vissi	sono vissuto/a	ero vissuto/a
2	vivesti	sei vissuto/a	eri vissuto/a
3	visse	è vissuto/a	era vissuto/a
1	vivemmo	siamo vissuti/e	eravamo vissuti/e
2	viveste	siete vissuti/e	eravate vissuti/e
3	vissero	sono vissuti/e	erano vissuti/e

PAST ANTERIOR	FUTURE PERFECT
fui vissuto/a *etc*	sarò vissuto/a *etc*

CONDITIONAL

		IMPERATIVE

	PRESENT	PAST	
1	vivrei	sarei vissuto/a	
2	vivresti	saresti vissuto/a	vivi
3	vivrebbe	sarebbe vissuto/a	viva
1	vivremmo	saremmo vissuti/e	viviamo
2	vivreste	sareste vissuti/e	vivete
3	vivrebbero	sarebbero vissuti/e	vivano

SUBJUNCTIVE

	PRESENT	IMPERFECT	PLUPERFECT
1	viva	vivessi	fossi vissuto/a
2	viva	vivessi	fossi vissuto/a
3	viva	vivesse	fosse vissuto/a
1	viviamo	vivessimo	fossimo vissuti/e
2	viviate	viveste	foste vissuti/e
3	vivano	vivessero	fossero vissuti/e

PASSATO PROSSIMO	sia vissuto/a *etc*

INFINITIVE	GERUND	PAST PARTICIPLE
PRESENT	vivendo	vissuto/a/i/e
vivere		
PAST		
esser(e) vissuto/a/i/e		

VOLERE
to want

PRESENT	IMPERFECT	FUTURE
1 voglio	volevo	vorrò
2 vuoi	volevi	vorrai
3 vuole	voleva	vorrà
1 vogliamo	volevamo	vorremo
2 volete	volevate	vorrete
3 vogliono	volevano	vorranno

PASSATO REMOTO	PASSATO PROSSIMO	PLUPERFECT
1 volli	ho voluto	avevo voluto
2 volesti	hai voluto	avevi voluto
3 volle	ha voluto	aveva voluto
1 volemmo	abbiamo voluto	avevamo voluto
2 voleste	avete voluto	avevate voluto
3 vollero	hanno voluto	avevano voluto

PAST ANTERIOR		FUTURE PERFECT
ebbi voluto *etc*		avrò voluto *etc*

CONDITIONAL		*IMPERATIVE*

PRESENT	PAST	
1 vorrei	avrei voluto	
2 vorresti	avresti voluto	
3 vorrebbe	avrebbe voluto	
1 vorremmo	avremmo voluto	
2 vorreste	avreste voluto	
3 vorrebbero	avrebbero voluto	

SUBJUNCTIVE

PRESENT	IMPERFECT	PLUPERFECT
1 voglia	volessi	avessi voluto
2 voglia	volessi	avessi voluto
3 voglia	volesse	avesse voluto
1 vogliamo	volessimo	avessimo voluto
2 vogliate	voleste	aveste voluto
3 vogliano	volessero	avessero voluto

PASSATO PROSSIMO	abbia voluto *etc*	

INFINITIVE	*GERUND*	*PAST PARTICIPLE*
PRESENT	volendo	voluto
volere		
PAST		
aver(e) voluto		

NOTE: in compound tenses as an auxiliary 'volere' takes the same auxiliary as the following verb, eg: I wanted to eat = ho voluto mangiare; I wanted to go = sono voluto/a andare

VOLGERE
to turn

PRESENT	IMPERFECT	FUTURE
1 volgo	volgevo	volgerò
2 volgi	volgevi	volgerai
3 volge	volgeva	volgerà
1 volgiamo	volgevamo	volgeremo
2 volgete	volgevate	volgerete
3 volgono	volgevano	volgeranno

PASSATO REMOTO	PASSATO PROSSIMO	PLUPERFECT
1 volsi	ho volto	avevo volto
2 volgesti	hai volto	avevi volto
3 volse	ha volto	aveva volto
1 volgemmo	abbiamo volto	avevamo volto
2 volgeste	avete volto	avevate volto
3 volsero	hanno volto	avevano volto

PAST ANTERIOR	FUTURE PERFECT
ebbi volto *etc*	avrò volto *etc*

CONDITIONAL		*IMPERATIVE*
PRESENT	**PAST**	
1 volgerei	avrei volto	
2 volgeresti	avresti volto	volgi
3 volgerebbe	avrebbe volto	volga
1 volgeremmo	avremmo volto	volgiamo
2 volgereste	avreste volto	volgete
3 volgerebbero	avrebbero volto	volgano

SUBJUNCTIVE

PRESENT	IMPERFECT	PLUPERFECT
1 volga	volgessi	avessi volto
2 volga	volgessi	avessi volto
3 volga	volgesse	avesse volto
1 volgiamo	volgessimo	avessimo volto
2 volgiate	volgeste	aveste volto
3 volgano	volgessero	avessero volto

PASSATO PROSSIMO	abbia volto *etc*

INFINITIVE	*GERUND*	*PAST PARTICIPLE*
PRESENT	volgendo	volto
volgere		
PAST		
aver(e) volto		

INDEX

The verbs given in full in the tables on the preceding pages are used as models for all other Italian verbs given in this index. The number in the index is that of the corresponding *verb* table.

Bold type denotes a verb that is itself given as a model.

The index also contains important irregular parts of model verbs: these are (a) the 1st person singular present tense where the infinitive would not easily be identifiable; (b) the 1st person singular of the *passato remoto* of irregular verbs; and (c) the past participle of irregular verbs.

All verbs in this index have been referred to model verbs with corresponding features. Certain reflexive verbs have been referred to reflexive model verbs; where the referred model is not reflexive, the reflexive pronouns have to be added.

This index contains over 2800 entries covering the most commonly used Italian verbs.

INDEX

abbaiare 189
abbandonare 138
abbassare 138
abbattere 193
abbonarsi 13
abbondare 138
abbottonare 138
abbracciare 45
abbreviare 117
abbronzarsi 13
abitare 1
abituare 138
abolire 98
aborrire 98/178
abusare 138
accadere 33
accantonare 138
accarezzare 138
accecare 38
accelerare 138
accendere 2
accennare 138
accertare 138
accesi *see* accendere
acceso *see* accendere
accettare 3
acchiudere 41
accingersi 74
acclimatarsi 13
accludere 41
accogliere 42
accomodare 138
accompagnare 4
acconsentire 178
accontentare 138
accordarsi 13
accorgersi 5
accorrere 58
accorsi *see* accorgersi
accorto *see* accorgersi
accostare 59
accrescere 62
accusare 6
acquistare 7
adattare 138
addebitare 138

addestrare 138
addivenire 206
addizionare 138
addolorare 138
addormentare 138
addurre 154
adeguare 138
adempiere 47
adempire 98
aderire 98
adire 98
adoperare 138
adorare 138
adottare 138
adulare 138
affacciarsi 45
affannare 138
affascinare 138
affermare 138
afferrare 138
affezionarsi 13
affidare 138
affiggere 8
affissi *see* affiggere
affisso *see* affiggere
affittare 9
affliggere 10
afflissi *see* affliggere
afflitto *see* affliggere
affluire 98
affogare 136
affollare 138
affondare 138
affrancare 38
affrescare 38
affrettarsi 13
affrontare 138
aggiornare 138
aggirare 138
aggiungere 105
aggiustare 138
aggrapparsi 13
aggredire 98
agire 11
agitare 138
aiutare 12

allacciare 45
allagare 136
allargare 136
allenare 138
allettare 138
allevare 138
alloggiare 122
allontanare 138
alludere 41
allungare 136
alterare 138
alternare 138
alzarsi 13
amare 14
amareggiare 122
ambientare 138
ammalarsi 13
ammazzare 138
ammettere 124
ammirare 138
ammobiliare 189
ammogliarsi 189
ammonire 98
ammucchiare 189
andare 15
angosciare 45
animare 138
annaffiare 189
annegare 136
annessi *see* annettere
annesso *see* annettere
annettere 16
annoiare 189
annullare 138
annunciare 45
annunziare 189
annusare 138
ansimare 138
anteporre 149
anticipare 138
apersi *see* aprire
aperto *see* aprire
appagare 136
appaltare 138
appannare 138
apparecchiare 189

INDEX

apparire 46
appartenere 194
appassionare 138
appendere 17
appesantire 98
appesi *see* appendere
appeso *see* appendere
applaudire 98/178
applicare 38
appoggiare 122
apporre 149
apprendere 153
appressare 138
apprestare 138
apprezzare 138
approdare 138
approfittare 138
approfondire 98
appropriare 189
approssimare 138
approvare 138
appuntare 138
appurare 138
aprire 18
arare 138
arbitrare 138
archiviare 189
ardere 19
ardire 98
arenarsi 13
argomentare 138
arieggiare 122
armare 138
armeggiare 122
armonizzare 138
aromatizzare 138
arrabattarsi 138
arrabbiarsi 189
arrampicarsi 38
arrancare 38
arrangiarsi 122
arrecare 38
arredare 138
arrendersi 156
arrestare 138
arretrare 138

arricchire 98
arricciare 45
arridere 160
arrischiare 189
arrivare 138
arrossire 98
arrostire 98
arrotare 138
arrotolare 138
arrotondare 138
arrovellarsi 138
arrovesciare 45
arrugginirsi 98
arsi *see* ardere
arso *see* ardere
articolare 138
ascendere 172
asciugare 20
ascoltare 21
ascrivere 174
asfissiare 189
aspergere 88
aspettare 22
aspirare 138
asportare 150
assaggiare 122
assalire 169
assaltare 138
assaporare 138
assassinare 138
assecondare 138
assediare 138
assegnare 113
assentarsi 13
assentire 178
asserire 98
asservire 98
assicurare 138
assillare 138
assimilare 138
assistere 114
associare 45
assodare 138
assoggettare 138
assolvere 165
assomigliare 189

assopire 98
assorbire 98/178
assordare 138
assorgere 148
assortire 98
assottigliare 189
assuefare 95
assuefarsi 95
assumere 23
assunsi *see* assumere
assunto *see* assumere
astenersi 194
astrarre 200
atomizzare 138
attaccare 38
attardarsi 13
atteggiare 122
attendere 24
attenere 194
attentare 138
attenuare 138
atterrare 138
atterrire 98
attesi *see* attendere
atteso *see* attendere
attestare 138
attingere 74
attirare 138
attivare 138
attizzare 138
attorcigliare 189
attorniare 189
attraccare 38
attraversare 25
attrezzare 138
attribuire 98
attuare 138
attutire 98
augurare 138
aumentare 26
auspicare 38
autenticare 38
automatizzare 138
autorizzare 138
avanzare 138
avariare 189

INDEX

avere 27
avvampare 138
avvantaggiare 122
avvedersi 205
avvenire 206
avventare 138
avventurarsi 13
avverarsi 13
avvertire 178
avvezzarsi 13
avviare 117
avvicinare 138
avvilire 98
avviluppare 138
avvincere 208
avvinghiare 189
avvisare 138
avvitare 138
avvolgere 211
azionare 138
azzardare 138
azzeccare 38
azzerare 138

baciare 28
badare 29
bagnare 138
balbettare 138
balenare 138
ballare 138
baloccare 38
balzare 138
bandire 98
barare 138
barattare 138
barbugliare 189
barcamenarsi 13
barcollare 138
baruffare 138
basare 138
bastare 138
battagliare 189
battere 193
battezzare 138
battibeccare 38

bazzicare 38
bearsi 13
beatificare 38
beccare 38
beffeggiare 122
belare 138
bendare 138
benedire 75
beneficare 38
beneficiare 45
bere 30
bersagliare 189
bestemmiare 189
bevo *see* bere
bevuto *see* bere
bevvi *see* bere
biasimare 138
biforcare 38
bighellonare 138
bilanciare 45
biondeggiare 122
bisbigliare 189
bisognare 113
bisticciare 45
bivaccare 38
blandire 98
bloccare 38
boccheggiare 122
bocciare 45
boicottare 138
bollare 138
bollire 31
bombardare 138
bonificare 38
borbottare 138
bordare 138
bramare 138
brandire 98
brillantare 138
brillare 138
brinare 138
brindare 138
brontolare 138
brucare 38
bruciare 32
brulicare 38

bucare 38
bucherellare 138
buffoneggiare 122
burlarsi 13
burocratizzare 138
buscare 38
bussare 138
buttare 138

cacciare 45
caddi *see* cadere
cadere 33
calare 138
calciare 45
calcolare 138
calmare 138
calpestare 138
calzare 138
cambiare 34
camminare 35
campare 138
cancellare 138
cantare 138
capire 36
capitare 138
capovolgere 211
caricare 38
cascare 38
catturare 138
causare 138
cavare 138
cedere 193
celebrare 138
cenare 37
cercare 38
cessare 138
cestinare 138
chiacchierare 138
chiamare 39
chiarire 98
chiedere 40
chiesi *see* chiedere
chiesto *see* chiedere
chinare 138
chiudere 41

INDEX

chiusi *see* chiudere
chiuso *see* chiudere
cingere 74
circolare 138
circoncidere 66
circondare 138
circondurre 154
circoscrivere 174
citare 138
cocituo *see* cuocere
coesistere 114
cogliere 42
coincidere 43
coincisi *see* coincidere
coinciso *see* coincidere
coinvolgere 211
colgo *see* cogliere
collaborare 138
collegare 136
collocare 38
colmare 138
colpire 44
colsi *see* cogliere
coltivare 138
colto *see* cogliere
comandare 138
combattere 193
combinare 138
cominciare 45
commentare 138
commettere 124
commuovere 128
compaio *see* comparire
comparire **46**
comparisco *see* comparire
comparso *see* comparire
comparvi *see* comparire
compatire 98
compensare 142
compiacere 145
compiacersi 145

compiangere 146
compiere 47
compii/compiei *see* compiere
compire 98
completare 138
complicare 38
comporre 149
comportare 150
comprare 48
comprendere 153
comprimere 92
compromettere 124
comunicare 38
concedere 49
concepire 98
concessi *see* concedere
concesso *see* concedere
conciare 45
conciliare 189
concludere 90
concorrere 58
condannare 138
condensare 138
condire 98
condiscendere 172
condividere 82
condurre 154
confarsi 95
conferire 98
confermare 96
confessare 138
confidare 138
configgere 8
confinare 138
confondere 50
confortare 138
confrontare 138
confusi *see* confondere
confuso *see* confondere
congedare 138
congelare 138

congiungere 105
congratularsi 13
conguagliare 189
coniugare 136
connettere 16
conobbi *see* conoscere
conoscere 51
conosciuto *see* conoscere
conquistare 138
consacrare 138
consegnare 113
conseguire 177
consentire 178
conservare 138
considerare 138
consigliare 52
consistere 53
consistette *see* consistere
consistito *see* consistere
consolare 138
constatare 138
consultare 138
consumare 138
contagiare 122
contare 138
contemplare 138
contendere 115
contenere 194
contentare 138
contestare 138
continuare 54
contorcere 197
contraccambiare 34
contraddire 75
contraddistinguere 78
contraffare 95
contrapporre 149
contrarre 200
contrastare 138
contrattare 138
contravvenire 206

INDEX

contribuire 98
controllare 138
convenire 206
convergere 88
conversare 138
convertire 178
convincere 55
convinsi *see*
   convincere
convinto *see*
   convincere
convivere 209
copersi *see* coprire
coperto *see* coprire
copiare 189
coprire 56
coricare 38
correggere 57
correre 58
corressi *see*
   correggere
corretto *see*
   correggere
corrispondere 166
corrodere 167
corrompere 168
corsi *see* correre
corso *see* correre
cospargere 182
cossi *see* cuocere
costare 59
costituire 98
costringere 188
costruire 60
cotto *see* cuocere
creare 138
crebbi *see* crescere
credere 61
credetti *see* credere
cremare 138
crepare 138
crescere 62
cresciuto *see* crescere
criticare 38
crocifiggere 8
crollare 138

cucinare 138
cucire 63
cuocere 64
curare 138
curiosare 138
curvare 138
custodire 98

dannare 138
danneggiare 122
danzare 138
dardeggiare 122
dare 65
datare 138
dattilografare 138
daziare 189
debbo *see* dovere
debilitare 138
decadere 33
decaffeinizzare 138
decantare 138
decapitare 138
decedere 193
decidere 66
decisi *see* decidere
deciso *see* decidere
decollare 138
decomporre 149
decorrere 58
decrescere 62
dedicare 38
dedurre 154
definire 67
deformare 138
degenerare 138
deglutire 98
degnare 138
delirare 138
deludere 90
demolire 98
demoralizzare 138
denunciare 45
deporre 149
depositare 138
deprimere 92

depurare 138
deragliare 189
deridere 160
derivare 138
derubare 138
descrissi *see*
   descrivere
descritto *see*
   descrivere
descrivere 68
desiderare 69
desistere 114
destare 138
destinare 138
desumere 23
detenere 194
detergere 88
determinare 138
detestare 138
detrarre 200
dettare 138
detti *see* dare
detto *see* dire
devo *see* dovere
dichiarare 138
dico *see* dire
diedi *see* dare
difendere 70
difesi *see* difendere
difeso *see* difendere
differire 98
diffidare 138
diffondere 71
diffusi *see* diffondere
diffuso *see* diffondere
digerire 98
digitare 138
dilagare 136
dilatare 138
diluviare 189
dimagrire 98
dimenticare 72
dimettere 124
dimezzare 138
diminuire 98
dimorare 138

dimostrare 127
dipendere 73
dipesi *see* dipendere
dipeso *see* dipendere
dipingere 74
dipinsi *see* dipingere
dipinto *see* dipingere
dire 75
diressi *see* dirigere
diretto *see* dirigere
dirigere 76
dirottare 138
disapprendere 153
disarmare 138
discendere 172
dischiudere 41
disciogliere 42
disconoscere 51
discorrere 58
discussi *see* discutere
discusso *see* discutere
discutere 77
disdire 75
disegnare 113
disfare 95
disgiungere 105
disilludere 90
disinfettare 138
disonorare 138
disperare 138
disperdere 143
dispiacere 145
disporre 149
disprezzare 138
disputare 138
disseminare 138
dissentire 178
dissetarsi 13
dissi *see* dire
dissolvere 165
dissuadere 144
distaccare 38
distendere 187
distinguere 78
distinsi *see*
distinguere

distinto *see*
distinguere
distogliere 196
distrarre 200
distribuire 98
distruggere 79
distrussi *see*
distruggere
distrutto *see*
distruggere
disturbare 138
divenire 206
diventare 80
divergere 88
divertirsi 81
dividere 82
divisi *see* dividere
diviso *see* dividere
divorziare 189
dolere 83
dolgo *see* dolere
dolsi *see* dolere
domandare 84
domare 138
dominare 138
donare 138
dormire 85
dovere 86
dovetti *see* dovere
dubitare 138
durare 87

ebbi *see* avere
eccedere 190
eccepire 98
eccettuare 138
eccitare 138
echeggiare 122
eclissare 138
economizzare 138
edificare 38
educare 38
effettuare 138
effigiare 122
effondere 50

eguagliare 189
elaborare 138
elargire 98
eleggere 120
elencare 38
elettrificare 38
elevare 138
elidere 160
eliminare 138
elogiare 122
elucubrare 138
eludere 90
emancipare 138
emarginare 138
emendare 138
emergere 88
emersi *see* emergere
emerso *see* emergere
emettere 124
emigrare 138
emozionare 138
empire 161
emulsionare 138
encomiare 189
entrare 89
entusiasmare 138
enucleare 138
enunciare 45
epurare 138
equilibrare 138
equipaggiare 122
equiparare 138
equivalere 204
equivocare 38
erborizzare 138
ereditare 138
erigere 76
erogare 136
erompere 168
erpicare 38
errare 138
erudire 98
eruttare 138
esagerare 138
esalare 138
esaltare 138

INDEX

esaminare 138
esasperare 138
esaudire 98
esaurire 98
esclamare 138
escludere 90
esclusi *see* escludere
escluso *see* escludere
esco *see* uscire
escoriare 189
escutere 77
esecrare 138
eseguire 177
esemplificare 38
esercitare 138
esibire 98
esilarare 138
esiliare 189
esistere 114
esitare 138
esonerare 138
esorbitare 138
esorcizzare 138
esordire 98
esortare 138
espatriare 189
espellere 91
esperimentare 138
esperire 98
espiare 117
espirare 138
espletare 138
esplodere 167
esplorare 138
esporre 149
esportare 150
espressi *see* esprimere
espresso *see* esprimere
esprimere 92
espropriare 189
espugnare 138
espulsi *see* espellere
espulso *see* espellere
espungere 105
espurgare 136
essere 93

essiccare 38
estasiare 189
estendere 187
estenuare 138
esternare 138
estinguere 78
estirpare 138
estorcere 197
estradare 138
estrapolare 138
estrarre 200
estrinsecare 38
esulare 138
esumare 138
eternare 138
etichettare 138
europeizzare 138
evacuare 138
evadere 116
evangelizzare 138
evaporare 138
evidenziare 189
evitare 94
evocare 38

fabbricare 38
faccio *see* fare
facilitare 138
falciare 45
falcidiare 189
fallire 98
falsare 138
falsificare 38
familiarizzare 138
fantasticare 38
fare 95
farcire 98
farfugliare 189
farneticare 38
fasciare 45
fascinare 138
faticare 38
fatto *see* fare
fatturare 138

favellare 138
favoreggiare 122
favorire 98
feci *see* fare
fecondare 138
feltrare 138
fendere 193
ferire 98
fermare 96
fermentare 138
ferrare 138
fertilizzare 138
festeggiare 122
fiaccare 38
fiammeggiare 122
fiancheggiare 122
fiatare 138
ficcare 38
fidanzarsi 13
fidare 138
fidarsi 13
figurarsi 13
filare 138
filettare 138
filmare 138
filtrare 138
finanziare 189
fingere 97
finire 98
finsi *see* fingere
finto *see* fingere
fioccare 38
fiorettare 138
fiorire 98
fiottare 138
firmare 138
fischiare 189
fischiettare 138
fissare 138
fiutare 138
flagellare 138
flettere 162
flottare 138
fluire 98
fluitare 138
fluttuare 138

focalizzare 138
foderare 138
foggiare 122
folgorare 138
fomentare 138
fondare 138
fondere 50
forare 138
forbire 98
forgiare 122
formare 138
formicolare 138
formulare 138
fornire 99
fortificare 38
forviare 117
forzare 138
fossilizzare 138
fotografare 138
fracassare 138
fraintendere 24
frammentare 138
frammettere 124
frammezzare 138
frammischiare 189
franare 138
frangere 146
frantumare 138
frapporre 149
frascheggiare 122
fraseggiare 122
frastagliare 189
frastornare 138
fraternizzare 138
fratturare 138
frazionare 138
freddare 138
fregare 136
fregiare 122
fremere 193
frenare 138
frequentare 138
friggere 10
frizionare 138
frizzare 138
fronteggiare 122

frugare 136
frullare 138
frusciare 45
frustare 138
frustrare 138
fruttare 138
fruttificare 38
fucilare 138
fucinare 138
fugare 136
fuggire 100
fui see essere
fulminare 138
fumare 101
fumeggiare 122
funestare 138
fungere 105
funzionare 138
fuoriuscire 203
fustigare 136

gabbare 138
gabellare 138
galleggiare 122
gallonare 138
galoppare 138
galvanizzare 138
garantire 98
garbare 138
gareggiare 122
gargarizzare 138
garrire 98
gassare 138
gattonare 138
gelare 138
gelificare 38
gemere 193
geminare 138
gemmare 138
generalizzare 138
generare 138
genuflettersi 162
germinare 138
germogliare 189
gessare 138

gesticolare 138
gestire 98
gettare 102
gettonare 138
ghermire 98
ghiacciare 45
giaccio see giacere
giacere 103
giaciuto see giacere
giacqui see giacere
giganteggiare 122
gingillarsi 13
giocare 104
giocherellare 138
giovare 138
girandolare 138
girare 138
girellare 138
gironzolare 138
giubilare 138
giudicare 38
giungere 105
giunsi see giungere
giuntare 138
giunto see giungere
giuoco see giocare
giurare 138
giustapporre 149
giustificare 38
giustiziare 189
glassare 138
gloriarsi 189
glossare 138
gocciolare 138
godere 106
godetti see godere
gommare 138
gonfiare 189
gongolare 138
gorgheggiare 122
gorgogliare 189
governare 138
gozzovigliare 189
gracchiare 189
gracidare 138
gradire 98

INDEX

graduare 138
graffare 138
graffiare 189
graffire 98
grandeggiare 122
grandinare 138
graticciare 45
gratificare 38
grattare 138
grattugiare 122
graziare 189
gremire 98
gridare 107
grippare 138
grondare 138
grugnire 98
guadagnare 138
guaire 98
gualcire 98
guardare 108
guarire 98
guarnire 98
guastare 138
guerreggiare 122
guidare 138
guizzare 138
gustare 138

handicappare 138
ho see avere

ideare 138
ignorare 138
illudere 90
illuminare 138
illustrare 138
imballare 138
imbarazzare 138
imbarcare 38
imbiancare 38
imboccare 38
imbottire 98
imbrattare 138
imbrogliare 189

imbucare 38
imitare 138
immaginare 138
immergere 88
immettere 124
impacchettare 138
impadronirsi 98
impallidire 98
impallinare 138
impaperarsi 13
imparare 109
impartire 98
impastare 138
impaurire 98
impazzire 98
impedire 110
impegnare 113
impiccare 38
impicciare 45
impiegare 136
impietosire 98
implorare 138
imporre 149
importare 150
imprecare 38
imprendere 153
impressionare 138
imprestare 138
imprimere 92
improvvisare 138
imputare 138
inaugurare 138
incalzare 138
incamminarsi 35
incantare 138
incaricare 38
incartare 138
incassare 138
incastrare 138
incendiare 189
incentivare 138
inchinarsi 13
inchiodare 138
inciampare 138
incidere 43
incitare 138

includere 90
incominciare 45
incontrare 111
incoraggiare 122
incorrere 58
incrinare 138
incrociare 45
incutere 77
indagare 138
indebolire 98
indicare 38
indietreggiare 122
indignare 138
indire 75
indirizzare 138
indisporre 149
individuare 138
indossare 138
indovinare 138
indurre 154
infastidire 98
inferire 112
infersi see inferire
inferto see inferire
infierire 98
infiggere 8
infilare 138
infliggere 10
influire 98
infondere 50
informare 138
infortunarsi 13
infrangere 146
infuriare 189
ingannare 138
ingelosire 98
ingessare 138
inghiottire 98/178
inginocchiarsi 189
ingiungere 105
ingoiare 138/189
ingombrare 138
ingrandire 98
ingrassare 138
inibire 98
iniettare 138

iniziare 189
innalzare 138
innamorarsi 13
inoltrare 138
inondare 138
inquietare 138
inquinare 138
insegnare 113
inseguire 177
inserire 98
insidiare 189
insinuare 138
insistere 114
insistetti *see* insistere
insistito *see* insistere
insorgere 148
insospettire 98
installare 138
intascare 38
integrare 138
intendere 115
intenerire 98
intensificare 38
intentare 138
intercalare 138
intercedere 193
intercettare 138
intercorrere 58
interdire 75
interessare 138
interferire 98
interiorizzare 138
interloquire 98
internarsi 13
internazionalizzare
  138
interpellare 138
interporre 149
interpretare 138
interrare 138
interrogare 136
interrompere 168
intervenire 206
intervistare 138
intesi *see* intendere
inteso *see* intendere

intessere 193
intestare 138
intiepidire 98
intimare 138
intimidire 98
intimorire 98
intingere 74
intirizzire 98
intitolare 138
intonacare 38
intonare 138
intontire 98
intorbidare 138
intorpidire 98
intossicare 38
intralciare 45
intrappolare 138
intraprendere 153
intrattenere 194
intravedere 205
intrecciare 45
intricare 38
intridere 160
intrigare 136
intristire 98
introdurre 154
intromettersi 124
intronare 138
intrudere 41
intrufolarsi 13
intuire 98
inumare 138
inumidire 98
inurbarsi 13
invadere 116
invaghirsi 98
invalidare 138
invasare 138
invasi *see* invadere
invaso *see* invadere
invecchiare 189
inveire 98
inventare 138
invertire 178
investigare 136
investire 178

inviare 117
invidiare 189
invigorire 98
invischiarsi 189
invitare 138
invocare 138
invogliare 189
involare 138
involgere 211
inzeppare 138
inzuppare 138
ipotecare 38
ipotizzare 138
ironizzare 138
irradiare 189
irridere 160
irrigare 136
irritare 138
irrompere 168
iscrivere 174
isolare 138
ispezionare 138
ispirare 138
issare 138
istigare 136
istituire 98
istruire 98
istupidire 98

laccare 38
lacerare 138
lacrimare 138
lagnarsi 13
laicizzare 138
lambiccare 38
lambire 98
lamentarsi 13
lampeggiare 122
lanciare 45
languire 98/178
lapidare 138
lardellare 138
largare 136
lasciare 45

INDEX

lastricare 38
latineggiare 122
latrare 138
laurearsi 13
lavarsi 118
lavoracchiare 189
lavorare 138
leccare 38
ledere 119
legare 136
leggere 120
legittimare 138
lenire 98
lesi *see* ledere
lesinare 138
leso *see* ledere
lessare 138
lessi *see* leggere
letto *see* leggere
levare 138
levigare 136
levitare 138
libare 138
liberare 138
librarsi 13
licenziare 189
lievitare 138
limare 138
limitare 138
limonare 138
linciare 45
liofilizzare 138
liquidare 138
lisciare 45
listare 138
litigare 136
litografare 138
livellare 138
localizzare 138
locare 38
lodare 138
logorare 138
lordare 138
lottare 138
lottizzare 138
lubrificare 38

luccicare 38
lucidare 138
lucrare 138
lumeggiare 122
lusingare 136
lustrare 138

macchiare 189
macchiettare 138
macchinare 138
macellare 138
macerare 138
macinare 138
maggiorare 138
magnetizzare 138
magnificare 38
maledire 75
malignare 138
malmenare 138
maltrattare 138
malversare 138
mancare 38
mandare 121
manducare 38
maneggiare 122
manganellare 138
mangiare 122
mangiucchiare 189
manifestare 138
manipolare 138
manomettere 124
manovrare 138
mantecare 38
mantenere 194
manualizzare 138
marcare 38
marchiare 189
marciare 45
marcire 98
mareggiare 122
marginare 138
marinare 138
maritarsi 13
marmorizzare 138
martellare 138

martirizzare 138
mascherare 138
mascolinizzare 138
massacrare 138
massaggiare 122
massificare 38
masticare 38
materializzare 138
mattonare 138
maturare 138
meccanizzare 138
mediare 189
medicare 38
meditare 138
memorizzare 138
menare 138
mendicare 38
menomare 138
mentire 123
menzionare 138
meravigliare 189
mercanteggiare 122
meritare 138
mescolare 138
mesmerizzare 138
messo *see* mettere
mestare 138
mesticare 38
metamorfosare 138
mettere 124
miagolare 138
microfilmare 138
mietere 193
migliorare 138
migrare 138
militare 138
militarizzare 138
millantare 138
mimare 138
mimetizzare 138
minacciare 45
minare 138
minchionare 138
miniare 189
miniaturizzare 138
minimizzare 138

mirare 138
miscelare 138
mischiare 189
misconoscere 51
misi see mettere
missare 138
mistificare 38
misurare 138
mitigare 136
mitizzare 138
mitragliare 189
mobiliare 189
mobilitare 138
modanare 138
modellare 138
moderare 138
modernizzare 138
modificare 38
modulare 138
molare 138
molestare 138
mollare 138
molleggiare 122
moltiplicare 38
mondare 138
monopolizzare 138
montare 138
moraleggiare 122
moralizzare 138
mordere 125
mordicchiare 189
morire 126
mormorare 138
morsi see mordere
morsicare 38
morso see mordere
mortificare 38
morto see morire
mossi see muovere
mosso see muovere
mostrare 127
motivare 138
motorizzare 138
motteggiare 122
movimentare 138
mozzare 138

muffire 98
muggire 98/178
mugolare 138
mulinare 138
mungere 105
municipalizzare 138
munire 98
murare 138
musicare 38
mussare 138
mutare 138
mutilare 138
mutuare 138

nacqui see nascere
narrare 138
nascere 129
nascondere 130
nascosi see
   nascondere
nascosto see
   nascondere
nato see nascere
naturalizzare 138
naufragare 136
nauseare 138
navigare 136
nazionalizzare 138
nebulizzare 138
necessitare 138
negare 136
negligere 76
negoziare 189
nereggiare 122
nettare 138
neutralizzare 138
nevicare 131
nidificare 38
ninnare 138
ninnolarsi 13
nitrire 98
nobilitare 138
noccio see nuocere
nociuto see nuocere

nocqui see nuocere
noleggiare 122
nominare 138
normalizzare 138
notare 138
notificare 38
numerare 138
nuocere 132
nuotare 133
nutrire 98/178

obbligare 136
obiettare 138
obliterare 138
occasionare 138
occhieggiare 122
occludere 90
occorrere 58
occultare 138
occupare 138
odiare 189
odo see udire
odorare 138
offendere 134
offersi see offrire
offerto see offrire
offesi see offendere
offeso see offendere
offrire 135
offuscare 38
olezzare 138
oliare 189
oltraggiare 122
ombreggiare 122
omettere 124
omologare 136
ondeggiare 122
ondulare 138
onerare 138
onorare 138
operare 138
opinare 138
opporre 149
opprimere 92
oppugnare 138

INDEX

optare 138
orbitare 138
ordinare 138
organizzare 138
orientare 138
originare 138
origliare 189
orinare 138
ornare 138
osare 138
oscillare 138
ospitare 138
osservare 138
ostacolare 138
ostentare 138
ostinarsi 13
ottenere 194
otturare 138

padroneggiare 122
pagare 136
paio *see* parere
paragonare 138
parare 138
parcheggiare 122
pareggiare 122
parere 137
parlare 138
parso *see* parere
partecipare 138
parteggiare 122
partire 139
partorire 98
parvi *see* parere
pascolare 138
passare 140
passeggiare 141
patire 98
peccare 38
pedalare 138
peggiorare 138
pelare 138
penare 138
pendere 193
penetrare 138

pensare 142
pentirsi 178
percorrere 58
percuotere 175
perdere 143
perdonare 138
perire 98
permanere 163
permettere 124
pernottare 138
persi *see* perdere
persistere 114
perso *see* perdere
persuadere 144
persuasi *see*
   persuadere
persuaso *see*
   persuadere
pervadere 116
pervenire 206
pervertire 178
pesare 138
pescare 38
pestare 138
pettinare 138
piaccio *see* piacere
piacere 145
piaciuto *see* piacere
piacqui *see* piacere
piallare 138
piangere 146
piansi *see* piangere
piantare 138
pianto *see* piangere
piazzare 138
picchiare 189
piegare 136
pigiare 122
pigliare 189
piombare 138
piovere 147
piovigginare 138
piovve *see* piovere
pizzicare 38
poltrire 98
pongo *see* porre

porgere 148
porre 149
porsi *see* porgere
portare 150
porto *see* porgere
posare 138
posi *see* porre
possedere 176
posso *see* potere
posto *see* porre
potare 138
potere 151
potetti *see* potere
pranzare 138
praticare 38
preannunciare 45
preannunziare 189
preavvisare 138
precedere 193
precipitare 138
precisare 138
precludere 90
preconoscere 51
precorrere 58
precostituire 98
predare 138
predestinare 138
predeterminare 138
predicare 38
prediligere 76
predire 75
predisporre 149
predominare 138
preesistere 114/157
preferire 152
prefiggere 8
pregare 136
pregiare 122
pregiudicare 38
pregustare 138
prelevare 138
preludere 90
premeditare 138
premere 193
premettere 124
premiare 189

premonire 98
premunire 98
premurarsi 13
prendere 153
prenotare 138
preoccupare 138
preordinare 138
preparare 138
preporre 149
presagire 98
prescegliere 171
prescindere 173
prescrivere 174
presentare 138
preservare 138
presi see prendere
presiedere 176
preso see prendere
pressare 138
prestabilire 98
prestare 138
presumere 23
presupporre 149
pretendere 115/153
prevalere 204
prevaricare 38
prevedere 205
prevenire 206
primeggiare 122
principiare 189
privare 138
privilegiare 122
procedere 193
processare 138
proclamare 138
procrastinare 138
procreare 138
procurare 138
prodigare 136
prodotto see produrre
produco see produrre
produrre 154
produssi see produrre
profanare 138
proferire 98
profferire 98

profilarsi 13
profittare 138
profondere 50
profumare 138
progettare 138
programmare 138
progredire 98
proibire 98
proiettare 138
proliferare 138
prolungare 136
promettere 124
promulgare 136
promuovere 128
pronosticare 38
pronunciare 45
pronunziare 189
propagandare 138
propagare 136
proporre 149
propugnare 138
prorogare 136
prorompere 168
prosciogliere 42
prosciugare 20
proscrivere 174
proseguire 177
prosperare 138
prospettare 138
prostrarsi 13
proteggere 120
protendere 153
protestare 138
protrarre 200
provare 138
provenire 206
provocare 38
psicanalizzare 138
pubblicare 38
pubblicizzare 138
pugnalare 138
pulire 98
pullulare 138
pulsare 138
pungere 105
pungolare 138

punire 98
puntare 138
punteggiare 122
puntellare 138
puntualizzare 138
punzecchiare 189
purgare 136
purificare 38
putrefare 95
puzzare 138

quadrare 138
quadrettare 138
quadruplicare 38
qualificare 38
quantificare 38
querelare 138
questionare 138
questuare 138
quietare 138
quintuplicare 38
quotare 138
quotizzare 138

rabbrividire 98
raccattare 138
racchiudere 41
raccogliere 42
raccomandare 138
raccontare 138
racimolare 138
raddoppiare 189
raddrizzare 138
radere 144
radunare 138
raffigurare 138
rafforzare 138
raffreddare 138
raggiungere 105
raggruppare 138
ragionare 138
rallegrare 138
rallentare 138
rammendare 138

INDEX

rapinare 138
rapire 98
rapprendere 153
rappresentare 138
rassegnarsi 13
rassicurare 138
rassomigliare 189
rattristare 138
ravvivare 138
ravvolgere 211
reagire 11
realizzare 138
recapitare 138
recare 38
recidere 201
recitare 138
reclamare 138
recuperare 138
redassi *see* redigere
redatto *see* redigere
redigere 155
regalare 138
reggere 120
registrare 138
regnare 113
regolare 138
remare 138
rendere 156
replicare 38
reprimere 92
reputare 138
rescindere 173
resi *see* rendere
resistere 157
resistetti *see* resistere
resistito *see* resistere
reso *see* rendere
respingere 185
respirare 138
restare 158
restituire 98
restringere 188
restringere 188
retribuire 98
retrocedere 49
riaccendere 2

riaccogliere 42
riacquistare 7
rialzare 13
riandare 15
riapparire 46
riaprire 18
riardere 19
riassumere 23
ribellarsi 13
ricadere 33
ricamare 138
ricambiare 34
ricattare 138
ricavare 138
ricercare 38
ricevere 159
ricevetti *see* ricevere
richiamare 39
richiedere 46
richiudere 41
ricominciare 45
ricomparire 46
ricompensare 138
riconciliare 189
ricondurre 154
riconoscere 51
riconquistare 7
riconsegnare 13
ricopiare 189
ricoprire 56
ricordare 138
ricorrere 58
ricostruire 60
ricoverare 138
ricrescere 62
ricuperare 138
ridare 65
ridere 160
ridire 75
ridivenire 206
ridiventare 138
ridividere 82
ridurre 154
rileggere 120
riemergere 88
riempire 161

rientrare 89
rifare 95
riferire 98
rifinire 98
rifiorire 98
rifiutare 138
riflessi *see* riflettere
riflesso *see* riflettere
riflettere 162
rifondere 50
riformare 138
rifuggire 100
rifugiarsi 122
rigirare 138
rigovernare 138
riguardare 108
rilasciare 45
rilassarsi 13
rilegare 136
rileggere 120
rilevare 138
rimandare 121
rimanere 163
rimango *see* rimanere
rimarginare 138
rimasi *see* rimanere
rimasto *see* rimanere
rimbalzare 138
rimboccare 38
rimborsare 138
rimediare 189
rimettere 124
rimontare 138
rimordere 125
rimpiangere 146
rimproverare 138
rimuovere 128
rinascere 129
rincarare 138
rinchiudere 41
rincorrere 58
rincrescere 62
rinfacciare 45
rinfrescare 38
ringiovanire 98
ringraziare 164

rinnegare 136
rinnovare 138
rintracciare 45
rinunciare 45
rinvenire 206
rinverdire 98
rinviare 117
rinvigorire 98
riordinare 138
ripagare 136
riparare 138
riparlare 138
ripartire 98/139
ripassare 140
ripensare 142
ripercuotere 175
ripescare 38
ripetere 193
ripiegare 136
riporre 149
riportare 150
riposare 138
riprendere 153
riprodurre 154
ripromettere 124
riproporre 149
ripulire 98
risalire 169
risarcire 98
riscaldare 138
riscattare 138
rischiarare 138
rischiare 189
riscoprire 56
riscuotere 175
risentire 178
riservare 138
risi see ridere
riso see ridere
risolsi see risolvere
risolto see risolvere
risolvere 165
risorgere 148
risparmiare 189
rispecchiare 189
rispettare 138

rispondere 166
risposi see rispondere
risposto see
   rispondere
ristabilire 98
ristare 186
ristringere 188
risultare 138
risuonare 138
risuscitare 138
ritardare 138
ritenere 194
ritingere 74
ritirare 138
ritogliere 196
ritorcere 197
ritornare 198
ritrarre 200
ritrattare 138
ritrovare 138
riunire 98
riuscire 203
rivedere 205
rivelare 138
rivendicare 38
riverire 98
rivestire 207
rivincere 208
rivivere 209
rivolgere 211
rivoltare 138
rodere 167
rompere 168
ronzare 138
rosi see rodere
roso see rodere
rotare 138
rotolare 138
rotto see rompere
rovesciare 45
rovinare 138
rubare 138
ruggire 98
ruotare 138
ruppi see rompere
russare 138

sabbiare 189
sabotare 138
saccheggiare 122
sacramentare 138
sacrificare 38
saettare 138
saggiare 122
sagomare 138
salare 138
salariare 189
saldare 138
salgo see salire
salire 169
salmodiare 189
salpare 138
saltare ·138
saltellare 138
salutare 138
salvare 138
sanare 138
sanguinare 138
santificare 38
sanzionare 138
sapere 170
satinare 138
saziare 189
sbadigliare 189
sbafare 138
sbagliare 189
sbalestrare 138
sbalordire 98
sbalzare 138
sbancare 38
sbandare 138
sbandierare 138
sbaraccare 38
sbarazzare 138
sbarcare 38
sbarrare 138
sbatacchiare 189
sbattere 193
sbavare 138
sbiadire 98
sbiancare 38
sbigottire 98
sbilanciare 45

INDEX

sbirciare 45
sbizzarrirsi 98
sbloccare 38
sboccare 38
sbocciare 45
sbocconcellare 138
sbollire 31
sborsare 138
sbottare 138
sbottonare 138
sbozzare 138
sbracciare 45
sbraitare 138
sbranare 138
sbrancare 38
sbrattare 138
sbriciolare 138
sbrigare 136
sbrigliare 189
sbrindellare 138
sbrogliare 189
sbronzarsi 13
sbruffare 138
sbucare 38
sbucciare 45
sbuffare 138
scacciare 45
scadere 33
scagionare 138
scagliare 189
scaglionare 138
scalare 138
scaldare 138
scalfire 98
scalmanarsi 13
scalpitare 138
scaltrire 98
scalzare 138
scambiare 34
scampanellare 138
scampare 138
scancellare 138
scandagliare 189
scandalizzare 138
scandire 98
scansare 138

scantonare 138
scapigliare 189
scapolare 138
scappare 138
scapricciarsi 45
scarabocchiare 189
scaraventare 138
scarcerare 138
scaricare 38
scarnire 98
scarrozzare 138
scarrucolare 138
scarseggiare 122
scartare 138
scassare 138
scassinare 138
scatenare 138
scattare 138
scaturire 98
scavalcare 38
scavare 138
scavezzare 138
scazzottarsi 13
scegliere 171
scelgo see scegliere
scelsi see scegliere
scelto see scegliere
scemare 138
scempiare 189
scendere 172
sceneggiare 122
scervellarsi 13
scesi see scendere
sceso see scendere
schedare 138
scheggiare 122
scheletrire 98
schematizzare 138
schermare 138
schermire 98
schernire 98
scherzare 138
schiacciare 45
schiaffare 138
schiaffeggiare 122
schiamazzare 138

schiantare 138
schiarire 98
schierare 138
schifare 138
schioccare 38
schiudere 41
schiumare 138
schivare 138
schizzare 138
sciacquare 138
scialacquare 138
scialare 138
sciamare 138
sciancare 38
sciare 117
scindere 173
scintillare 138
scioccare 38
sciogliere 42
scioperare 138
sciorinare 138
scippare 138
scissi see scindere
scisso see scindere
sciupare 138
scivolare 138
scoccare 38
scocciare 45
scodellare 138
scodinzolare 138
scolare 138
scollare 138
scolorire 98
scolpire 44
scombinare 138
scombussolare 138
scommettere 124
scomodare 138
scompaginare 138
scomparire 46
scompartire 98/178
scompensare 138/142
scompigliare 189
scomporre 149
scomunicare 38
sconcertare 138

sconciare 45
sconcordare 138
sconfessare 138
sconficcare 38
sconfiggere 10
sconfinare 138
sconfortare 138
scongelare 138
scongiurare 138
sconnettere 16
sconquassare 138
sconsigliare 52
sconsolare 138
scontare 138
scontentare 138
scontrarsi 13
sconvenire 206
sconvolgere 211
scopare 138
scoperchiare 189
scoppiare 189
scoprire 56
scoraggiare 122
scorciare 45
scordare 138
scorgere 148
scorrazzare 138
scorrere 58
scortare 138
scorticare 38
scossi *see* scuotere
scosso *see* scuotere
scostare 138
scottare 138
scovare 138
scozzare 138
scozzonare 138
screditare 138
scremare 138
screziare 189
scribacchiare 189
scricchiolare 138
scriminare 138
scrissi *see* scrivere
scritto *see* scrivere
scritturare 138

scrivere 174
scroccare 38
scrollare 138
scrosciare 45
scrutare 138
scucire 63
sculacciare 45
scuotere 175
scurire 98
scusare 138
sdaziare 189
sdebitare 138
sdebitarsi 13
sdegnare 138
sdoganare 138
sdoppiare 189
sdraiarsi 189
sdrucciolare 138
sdrucire 98/178
seccare 38
secondare 138
sedare 138
sedere 176
sedetti *see* sedere
sedurre 154
segare 136
seggo *see* sedere
segmentare 138
segnalare 138
segnare 113
segregare 136
seguire 177
seguitare 138
selezionare 138
sellare 138
sembrare 138
seminare 138
semplificare 38
sensibilizzare 138
sentenziare 189
sentire 178
separare 138
seppellire 98
seppi *see* sapere
sequestrare 138
serbare 138

serpeggiare 122
serrare 138
servire 179
setacciare 45
seviziare 189
sezionare 138
sfaccendare 138
sfaldare 138
sfamare 138
sfasare 138
sfasciare 45
sfavillare 138
sferzare 138
sfiancare 38
sfiatare 138
sfidare 138
sfiduciarsi 45
sfigurare 138
sfilare 138
sfinire 98
sfiorare 138
sfociare 45
sfoderare 138
sfogare 136
sfoggiare 122
sfogliare 138
sfolgorare 138
sfollare 138
sfondare 138
sformare 138
sfornare 138
sforzare 138
sfrattare 138
sfrecciare 45
sfregare 136
sfregiare 122
sfrenarsi 13
sfruttare 138
sfuggire 100
sfumare 138
sganciare 45
sgarrare 138
sgobbare 138
sgomberare 138
sgonfiare 189
sgranare 138

INDEX

sgranchire 98
sgridare 107
siedo *see* sedere
significare 38
singhiozzare 138
sintonizzare 138
sistemare 138
slacciare 45
slanciare 45
slogare 136
sloggiare 122
smacchiare 189
smagrire 98
smaltire 98
smarrire 98
smascherare 138
smentire 98
smettere 124
sminuire 98
smontare 138
smuovere 128
snaturare 138
snobbare 138
snodare 138
so *see* sapere
socchiudere 41
soccorrere 58
soddisfare 95
soffersi *see* soffrire
sofferto *see* soffrire
soffiare 189
soffocare 38
soffriggere 10
soffrire 180
soggiacere 103
soggiungere 105
sognare 138
sollecitare 138
sollevare 138
somigliare 189
sommare 138
sommergere 88
sommuovere 128
sono *see* essere
sopportare 150
sopprimere 92

sopraffare 95
sopraggiungere 105
sopravvenire 206
sopravvivere 209
soprintendere 115
sorgere 148
sorpassare 140
sorprendere 153
sorreggere 120
sorridere 160
sorseggiare 122
sortire 98/178
sorvegliare 189
sorvolare 138
sospendere 153
sospettare 138
sospingere 185
sospirare 138
sostare 138
sostenere 194
sostituire 98
sotterrare 138
sottintendere 115
sottolineare 138
sottomettere 124
sottoporre 149
sottoscrivere 174
sottostare 186
sottrarre 200
sovrapporre 149
sovrastare 138
sovrintendere 115
sovvenire 206
sovvertire 178
spaccare 38
spacciare 45
spalancare 38
spalare 138
spalmare 138
spandere 181
spanto *see* spandere
sparare 138
sparecchiare 189
spargere 182
sparire 98
sparsi *see* spargere

sparso *see* spargere
spartire 98
spaventare 138
spazzare 138
specchiarsi 189
specializzarsi 13
speculare 138
spedire 98
spegnere 183
spendere 184
spengo *see* spegnere
spensi *see* spegnere
spento *see* spegnere
sperare 138
sperdere 143
sperimentare 138
sperperare 138
spesi *see* spendere
speso *see* spendere
spettare 138
spettinare 138
spezzare 138
spiacere 145
spiare 117
spiccare 38
spicciare 45
spiegare 136
spingere 185
spinsi *see* spingere
spinto *see* spingere
spizzicare 38
splendere 193
spogliare 189
spolverare 138
sporcare 38
sporgere 148
sposare 138
spostare 138
sprecare 38
spremere 193
sprezzare 138
sprofondare 138
spronare 138
spruzzare 138
spuntare 138
sputare 138

squillare 138
sradicare 38
stabilire 98
staccare 38
stampare 138
stanare 138
stancare 38
stappare 138
stare 186
starnutire 98
stato *see* essere/stare
stendere 187
stentare 138
sterzare 138
stesi *see* stendere
steso *see* stendere
stetti *see* stare
stimare 138
stimolare 138
stipulare 138
stirare 138
stonare 138
storcere 197
stordire 98
stracciare 45
strapazzare 138
strappare 138
stravedere 205
stravincere 208
stravolgere 211
straziare 189
stretto *see* stringere
stringere 188
strinsi *see* stringere
strisciare 45
strizzare 138
strofinare 138
strombazzare 138
stroncare 38
struggere 79
studiare 189
stufare 138
stupefare 95
stupire 98
subire 98

succedere 190
succedetti *see*
  succedere
successi *see* succedere
successo *see*
  succedere
succhiare 189
sudare 138
suddividere 82
suggerire 98
suicidarsi 13
suonare 138
superare 138
supplicare 38
supplire 98
supporre 149
suscitare 138
susseguire 177
sussistere 114
sussurrare 138
svaligiare 122
svanire 98
svegliare 189
svenire 206
svestire 178
sviluppare 138
svitare 138
svolgere 191
svolsi *see* svolgere
svolto *see* svolgere

tacchettare 138
taccio *see* tacere
tacere 192
taciuto *see* tacere
tacqui *see* tacere
tagliare 189
tagliuzzare 138
tallonare 138
tamburellare 138
tamponare 138
tappare 138
tappezzare 138
tardare 138
tassare 138

tastare 138
telefonare 138
telegrafare 138
temere 193
tendere 115/153
tenere 194
tengo *see* tenere
tenni *see* tenere
tentare 138
tergere 88
terminare 138
terrorizzare 138
tessere 193
testimoniare 189
tifare 138
tingere 74
tirare 138
toccare 195
togliere 196
tolgo *see* togliere
tollerare 138
tolsi *see* togliere
tolto *see* togliere
torcere 197
tormentare 138
tornare 198
torsi *see* torcere
torto *see* torcere
torturare 138
tossire 98/178
tracciare 45
tradire 98
tradotto *see* tradurre
traduco *see* tradurre
tradurre 199
tradussi *see* tradurre
trafiggere 10
traggo *see* trarre
tralasciare 45
tramontare 138
tranquillizzare 138
trapanare 138
trarre 200
trascendere 172
trascinare 138
trascorrere 58

INDEX

trascrivere 174
trascurare 138
trasferire 98
trasformare 138
trasgredire 98
traslocare 38
trasmettere 124
trasparire 46
trasportare 138
trassi *see* trarre
trattare 138
trattenere 194
tratto *see* trarre
travasare 138
travedere 205
travestire 178
travisare 138
travolgere 211
tremare 138
tritare 138
trovare 138
truccare 38
truffare 138
tuffarsi 13
tuonare 138
turbare 138

ubbidire 98
ubicare 38
ubriacarsi 38
uccidere 201
uccisi *see* uccidere
ucciso *see* uccidere
udire 202
ufficiare 45
uggiolare 138
uguagliare 189
ultimare 138
ululare 138
umanizzare 138
umettare 138
umidificare 38
umiliare 189
uncinare 138
ungere 105

unificare 38
unire 98
universalizzare 138
urbanizzare 138
urlare 138
urtare 138
usare 138
uscire 203
ustionare 138
usufruire 98
usurpare 138
utilizzare 138

vaccinare 138
vacillare 138
vado *see* andare
vagabondare 138
vagare 136
vagheggiare 122
vagliare 189
valere 204
valgo *see* valere
valicare 38
valorizzare 138
valsi *see* valere
valso *see* valere
valutare 138
vanagloriarsi 189
vaneggiare 122
vangare 136
vantare 138
varare 138
varcare 38
variare 189
vedere 205
vegliare 189
velare 138
veleggiare 122
vendemmiare 189
vendere 193
vendicare 38
venerare 138
vengo *see* venire
venire 206
venni *see* venire

ventilare 138
verbalizzare 138
verdeggiare 122
vergare 136
vergognarsi 13
verificare 38
verniciare 45
versare 138
verseggiare 122
versificare 38
verticalizzare 138
vestirsi 207
vettovagliare 189
vezzeggiare 122
viaggiare 122
vibrare 138
vidi *see* vedere
vietare 138
vigilare 138
vilipendere 17
villeggiare 122
vincere 208
vincolare 138
vinsi *see* vincere
vinto *see* vincere
violare 138
violentare 138
virgolettare 138
visionare 138
visitare 138
vissi *see* vivere
vissuto *see* vivere
vistare 138
visto *see* vedere
visualizzare 138
vituperare 138
vivacchiare 189
vivere 209
vivificare 38
viziare 189
vocalizzare 138
vociare 45
vociferare 138
vogare 136
voglio *see* volere
volare 138